La Coordinación en el FÚTBOL

Una nueva propuesta de ejercicios de entrenamiento

Jürgen Buschmann • Klaus Pabst • Hubertus Bussmann

Editor: Jesús Domingo
Coordinación editorial: Paloma González
Revisión técnica: Carlos Cantarero

Título original: *Koordination, das neue Fussballtraining.*
Jürgen Buschmann; Klaus Pabst; Hubertus Bussmann

Publicado por primera vez en Alemania por Meyer & Meyer Verlag, Aachen

Marqués de Urquijo, 34. 28008 Madrid
Tel: 91 559 98 32. Fax: 91 541 02 35
E-mail: tutor@autovia.com

Fotografía de cubierta: Philippka-Sportverlag, Münster
Fotografías de interior: Krisztina Erkenrath
Ilustraciones: Lars Banka
Diseño de cubierta: Digraf

ISBN: 84-7902-333-3
Depósito legal: M. 13.109-2002
Impreso en Fernández Ciudad, S. L.
Impreso en España – *Printed in Spain*

CONTENIDO

Introducción

La importancia de la coordinación para el jugador de fútbol ha centrado el interés general en los últimos años y está en boca de todos. No parece que sea casualidad que las selecciones futbolísticas europeas a las que ha acompañado el éxito en los últimos años –como, por ejemplo, Holanda o Francia, campeona del mundo en 1998– den la máxima importancia a una formación que combine de manera óptima la coordinación y la técnica.

Desde hace ya algunos años, en estos países las facultades coordinativas se entrenan habitualmente a diario, al menos durante una hora. En este contexto cabe destacar sobre todo la escuela futbolística del Ajax de Amsterdam. También en Francia se trabaja de este modo en la promoción de los jóvenes talentos que se encuentran en los internados vinculados a los clubes profesionales.

En el fútbol sólo es posible obtener el mayor rendimiento si se posee un gran dominio del cuerpo y del balón. Por ello, los futbolistas han tenido y tienen algo en común –además de sus cualidades individuales–: dominan el balón y su cuerpo en prácticamente todas las situaciones de juego.

Un mejor desarrollo de la coordinación conduce sin duda a un mayor rendimiento en el fútbol y favorece una mejor capacidad de aprendizaje. Sin embargo, la coordinación sólo puede desarrollarse de manera óptima si es entrenada desde muy temprana edad. En este caso no puede hablarse nunca de que sea «demasiado pronto» y sí de que puede ser «demasiado tarde». Para ello es necesario el mejor entrenador posible, con una buena formación y con bastante experiencia pedagógica, en ningún caso un entrenador que busque el «éxito fácil».

La labor del entrenador nunca tendrá una importancia superior a la que adquiere en los primeros años del jugador. Entrenar la coordinación de manera atractiva y en conexión directa con el fútbol no sólo resulta irrenunciable en el caso de los más jóvenes. Con algo de paciencia y sensibilidad pueden superarse carencias de la capacidad coordinativa también en cadetes y juveniles, e incluso en jugadores de categoría sénior.

En el entrenamiento de la coordinación se siguen complejos modelos de movimiento, y no movimientos concretos aislados (técnica). Este desarrollo de las capacidades de coordinación constituye la base sobre la cual pueden aprenderse mejor y ejecutarse con mayor rapidez exigencias técnicas sencillas o de carácter complejo.

Este libro está estructurado en distintas formas de juego y ejercicios; se apoya conscientemente en elementos técnicos conocidos del fútbol, con el fin de tratar de llegar también a aquellos preparadores no tan familiarizados con el entrenamiento de la coordinación. Somos conscientes de que muchos ejercicios y formas de juego no sólo sirven para entrenar las técnicas planteadas, sino que pueden abarcar otras materias, o tener un carácter básico o compensatorio. Así, tanto principiantes como especialistas, encontrarán, en el tema del entrenamiento de la coordinación en el fútbol, numerosos estímulos para su propia praxis.

Jürgen Buschmann
Hubertus Bussmann
Klaus Pabst

1. FUNDAMENTOS DEL ENTRENAMIENTO DE LA COORDINACIÓN

La coordinación es fundamento y condición imprescindible de cualquier movimiento propio de la actividad cotidiana, tanto más en el contexto de la actividad deportiva. A una mejor coordinación corresponde la máxima capacidad de rendimiento, con el ahorro simultáneo de consumo energético.

Junto a los aspectos de fuerza, velocidad, resistencia y movilidad, la coordinación constituye el quinto campo de las facultades de la condición física. Todos los aspectos dependen unos de otros e influyen de un modo nada desdeñable en la capacidad de maniobra y rendimiento del deportista (véase la figura 1). Sin embargo, en la enseñanza del fútbol, hasta ahora se le ha dado un valor demasiado escaso a esta parte de la condición física, cuando no ha sido ignorado de manera consciente y sistemática.

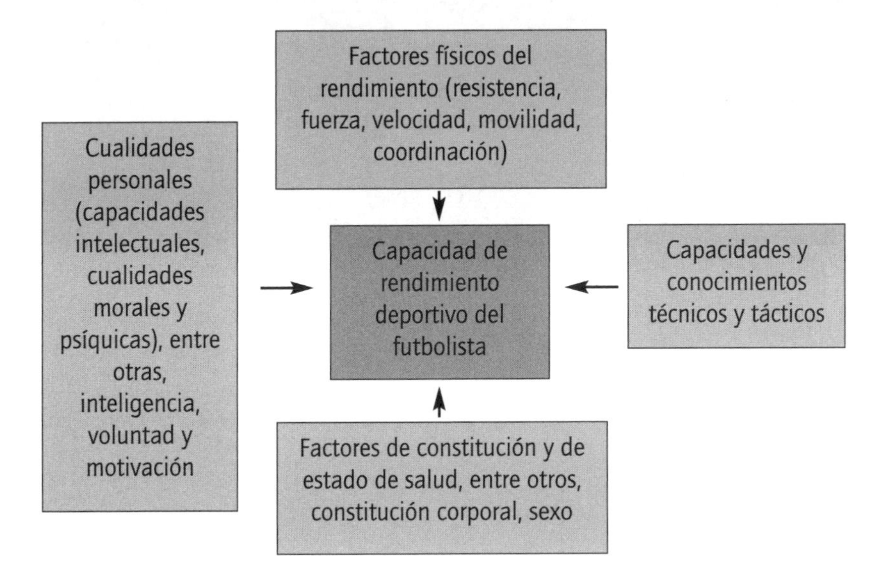

FIGURA 1: *Elementos de la capacidad de rendimiento deportivo.*

Definición: Bajo el término coordinación se entiende la interacción del sistema nervioso central (S.N.C) y la musculatura del esqueleto en el curso de un movimiento voluntario.

taxofit
taxofit

Se diferencia entre:

a) Coordinación intramuscular
- Coordinación de las distintas fibras musculares dentro de un músculo

b) Coordinación intermuscular
- Coordinación entre los distintos músculos

El entrenamiento de la coordinación y, con ello, el entrenamiento de la técnica, no comienza a la edad de 6 años, sino que se pone en marcha nada más nacer. El «entrenamiento» variado, es decir, con las manos, las piernas, los pies, el tronco y los aparatos correspondientes, conforma la base para una buena formación básica. En los tiempos actuales, en los que el movimiento y los juegos dinámicos no pertenecen necesariamente a los elementos naturales de la existencia infantil –se echa en falta el descampado de toda la vida al lado de casa–, aparecen cada vez más niños poco activos: esto mismo ocurre también en relación con la coordinación (véase tabla 1) y como es lógico también en el fútbol.

- Deficiente puntería, por ejemplo, en el pase o en el disparo.
- Escasa capacidad de orientación en el espacio, por ejemplo, posición frente al contrario en defensa.
- Escasa capacidad de adaptación, referida al compañero o al objeto, por ejemplo, al desmarcarse y salir corriendo, en el cálculo de la curva de vuelo del balón.
- Movimientos torpes, abruptos, faltos de ritmo, por ejemplo, en carrera con o sin balón.
- Movimiento de acompañamiento superfluo en algunos movimientos, por ejemplo, «bracear» en carrera.
- Escasa elasticidad en la recepción de objetos, por ejemplo, el portero al agarrar el balón.
- Falta de elasticidad en el salto hacia el suelo, por ejemplo, después de un lanzamiento de cabeza precedido por un salto.
- Inseguridad ante una superficie de apoyo escasa, por ejemplo, mantenerse erguido sobre una sola pierna y otros casos similares.

TABLA 1: *Posibles carencias de coordinación en futbolistas.*

Fundamentos: Cada niño nace con un número de células nerviosas en el cerebro que se cifra entre 160 y 180 mil millones que se van reduciendo hasta llegar en torno a 100 mil millones al alcanzar aproximadamente los diez años de edad. Inicialmente, las células no están relacionadas entre sí. Cuantas más relaciones se creen con las células vecinas, mejores serán los condicionantes intelectuales en la vida posterior. El medio más efectivo para el mantenimiento de las células y para el establecimiento de relaciones intercelulares es el movimiento en un sentido coordinado. Por esta razón, los juegos –sobre todo de balón– tienen una importancia sobresaliente para el desarrollo de la personalidad.

Sin embargo, una enseñanza específica muy temprana, por ejemplo, como futbolista, tiene también su inconveniente: ninguna disciplina deportiva desarrolla con la misma eficacia todas las cualidades de la coordinación. Por ello, sobre todo los niños, necesitan disciplinas deportivas complementarias, para asegurar un amplio desarrollo de la coordinación, que abarque el mayor número de campos posibles, tomando elementos, entre otros, del atletismo, la gimnasia o el baile de salón practicado como forma de ejercicio físico.

Elementos de la capacidad de coordinación: Esta capacidad compleja puede dividirse en el fútbol en los siguientes subgrupos:

Capacidades de la coordinación	Manifestaciones en el fútbol	Formas de juego y ejercicios para el perfeccionamiento
Capacidad de adaptación		
Capacidad de adaptarse de la manera más rápida posible a circunstancias nuevas e inesperadas.	Por ejemplo, formas de rebote del balón por la alteración de las condiciones del campo o del tiempo.	Formas de juego y ejercicios en distintas superficies o con distintos tipos de balón (por ejemplo, fútbol-playa, fútbol-sala, campo de tierra, de hierba, cubierto de nieve, después de un aguacero).
Capacidad de anticipación		
Capacidad de prever resultados y procesos de acciones y reacciones de otros deportistas.	Prever acciones de juego de los compañeros o de los adversarios.	Formas complejas de juego, sencillamente el partido.
Capacidad de diferenciación		
Capacidad de poner en funcionamiento la musculatura durante la ejecución de movimientos de forma sensible y consciente (exactitud y	Por ejemplo, golpeo de cabeza con salto (esfuerzo necesario para el salto hacia arriba y el golpeo del balón), «salto hacia un balón alto» del portero	– Gimnasia funcional. – Ejercicios con esfuerzos diferenciados (por ejemplo, el disparo a puerta: fuerte, colocado, suave –con efecto–).

economía del movimiento).	(esfuerzo en el salto para la altura necesaria), «tacto del balón».	– recepción del balón e inicio de jugada.
Capacidad para la visión periférica		
Capacidad de orientarse en el espacio y de actuar de manera apropiada gracias a la observación.	Observar el balón y/o al compañero/ adversario, tenerlos en el campo visual directo, condición, entre otras, para una actuación táctica acertada.	– Ejercicios técnicos, en los que a una señal visual del entrenador debe llevarse a cabo una tarea complementaria. – Formas complejas de juego (con interrupciones del entrenador para corregir errores).
Capacidad de control de tiempos		
Capacidad de ejecutar un movimiento de forma exacta y en el momento justo.	Determinar la curva de vuelo del balón con el propio movimiento, por ejemplo, salto para rematar de cabeza después de un centro por alto.	Ejercicios técnicos con el balón, entre otros, aprovechar distintos pases (desde diferentes posiciones, con distinta altura y precisión) con la cabeza y con los pies.
Capacidad de equilibrio		
Capacidad de mantener el equilibrio corporal o de recuperarlo lo más pronto posible.	Por ejemplo, después del uno contra uno con contacto.	– Ejercicios uno contra uno. – Ejercicios de carrera con tareas complementarias, por ejemplo, volteretas, giros.
Capacidad de combinar varios movimientos		
Capacidad de encadenar distintos movimientos parciales en un único proceso fluido y económico.	Por ejemplo, «juego de cabeza» (salto, toma de impulso y golpeo del balón); «rechace del portero» (movimiento de brazos y piernas).	Disposición sucesiva de distintos elementos técnicos: recepción y juego de balones altos y posterior disparo a puerta.

Capacidad de orientación		
Capacidad de determinar la situación del cuerpo en el espacio (campo de juego) o en relación con un objeto (balón, compañero/adversario).	Por ejemplo, «ofrecerse y desmarcarse» (orientación frente al balón, el adversario, el compañero, el espacio); «salida» del portero (orientación frente al balón y a los jugadores en el área de penalti).	En ejercicios técnicos, por ejemplo, en el disparo a puerta, introducir ejercicios de movimientos complementarios, como giros, volteretas, salto de obstáculos.
Capacidad de reacción		
Capacidad de poner en marcha acciones en respuesta a determinados estímulos, con el menor retraso posible	Por ejemplo, aprovechar «rechaces», reaccionar ante fintas, detener tiros de corta distancia (portero), reaccionar con mayor rapidez que el adversario.	– Carreras después de una señal visual o acústica. – Ejercicios con varios balones. – Ejercicios con balones diferentes, entre otros con un balón de rugby; disparo a puerta (de espaldas al entrenador, después de una voz, un lanzamiento, un giro o un disparo).
Capacidad de ritmo		
Capacidad de encontrar un ritmo de movimiento propio (tensión y distensión de los grupos musculares implicados en el esfuerzo).	Por ejemplo, coger carrerilla para disparar o golpear de cabeza, ritmo de zancada del portero antes del salto para atrapar balones altos, antes del salto en plancha, antes del saque con la mano.	– Ejecución de movimientos de distracción. – Ejercicios de regate en distintos recorridos en eslalon. – Repetición abundante de fintas. – Conducción del balón a izquierda y derecha con variación rítmica.

Las distintas capacidades están relacionadas estrechamente, influyéndose unas a otras. A pesar de todo, pueden desarrollarse independientemente del mismo modo que pueden ser entrenadas simultáneamente o de manera individual. En el fútbol cada una de ellas no se precisa en el mismo grado. Capacidades como la del equilibrio, la del ritmo o la de diferenciación, tendrán seguramente un papel mayor en disciplinas como la gimnasia artística. En el entrenamiento de fútbol se pone el acento sobre todo en el perfeccionamiento de las capacidades de reacción, orientación y anticipación. También se entrena la capacidad de la «visión periférica» y el correcto cálculo temporal en el pase.

Finalidad del entrenamiento de la coordinación: se trata de conseguir, con el menor número de músculos y el menor grado de esfuerzo posible, el efecto óptimo en cada momento en relación con el movimiento más adecuado. En el fútbol el objetivo consiste en un dominio adecuado del cuerpo y del balón, ajustado a las distintas situaciones de juego. El entrenamiento de la coordinación sirve además para aprender con mayor rapidez nuevas técnicas de movimiento específicas del fútbol.

El entrenador crea las condiciones más adecuadas para sacar el mayor partido a las aptitudes técnicas de sus jugadores mediante el perfeccionamiento de la capacidad de coordinación. Se procura favorecer sobre todo las técnicas creativas y variadas.

En cuanto al resultado que se obtiene, generalmente se diferencia entre una
- *capacidad general de coordinación*, la «destreza», y la
- *capacidad específica de coordinación*, la habilidad.
  - **Destreza:** ritmo armónico y espaciado del movimiento, forma «cotidiana» del movimiento, por ejemplo, jugador en carrera, saltando, saltando en plancha, cayendo.
  - **Habilidad:** acciones armónicas de espacios cortos, «específicos del deporte», por ejemplo, en el manejo con el balón: regate, filigranas, control del balón.

Formas del entrenamiento: los tipos en ejercicios o formas de juego para el trabajo de la coordinación pueden proceder bien del propio fútbol o de otras disciplinas deportivas (necesidad de entrenamiento multidisciplinar).

Edad ideal de aprendizaje: Los años anteriores a la pubertad y la primera fase de ésta (entre los seis y los catorce años) son ideales para llevar a cabo ejercicios de coordinación, pero ya en la etapa preescolar tienen una gran importancia las exigencias físicas de la coordinación. La calidad de la coordinación se incrementa en la infancia y la juventud de forma constante, hasta alcanzar su grado máximo entre los 18 y los 20 años.

Esto supone que para el entrenamiento de la coordinación en las distintas fases del desarrollo, y sobre todo en las edades de benjamines y anteriores, haya que crear una base coordinativa amplia (véase tabla 2). A partir de la pubertad es el momento de desarrollar con mayor amplitud todas las capacidades adquiridas de la coordinación.

	(6 a 8 años)	Benjamines (8 a 10 años)	Alevines (10 a 12 años)	Infantiles (12 a 14 años)
Resistencia				
Movilidad				
Coordinación				
Capacidad de adaptación				
Capacidad de anticipación				
Capacidad de diferenciación				
Capacidad de control de tiempos				
Capacidad de equilibrio				
Capacidad de orientación				
Capacidad de reacción				
Capacidad de ritmo				
Fuerza				
Velocidad				

TABLA 2: *Contenidos de entrenamiento de la capacidad de coordinación en las distintas fases de desarrollo (= participación alta, = media, = baja).*

Fundamentos metodológicos: en el entrenamiento deben tenerse en cuenta las siguientes directrices:

- Los jugadores deben entrenar sólo cuando no están aún cansados, es decir, al principio de la sesión, después del calentamiento.
- Llevar a cabo todos los ejercicios y formas de juego a la mayor velocidad posible.
- La duración del esfuerzo en cada ejercicio no debe ser superior a 20 ó 30 segundos.
- El número de repeticiones depende del grado de perfección en la realización del movimiento, es decir, una vez aprendido, debe pasarse al siguiente ejercicio. Primero debe entrenarse en las condiciones más sencillas, para ir incrementando la dificultad de las condiciones: la «presión del contrario y del tiempo» debe ser aumentada de manera constante.
- Llevar a cabo variaciones en las acciones del movimiento (véase tabla 3).

Variación de la ejecución del movimiento
- Modificación de la superficie sobre la que tirar y de la técnica de tiro
  - raso/alto/centrado/esquinado
  - partes interna, externa y total del empeine
- Variación de la fuerza utilizada
  - escasa/media/elevada
  - balón aéreo/disparo

Variación de las condiciones del entrenamiento
- Variación de los balones y ángulos de disparo
  - balones ligeros/pesados, grandes/pequeños
  - desde 11, 16 y 20 metros
  - ángulos cerrados o abiertos
- Modificación de la posición de salida
  - balón parado/en movimiento
  - después de un regate/pase/recepción del balón
  - lento/rápido (limitación temporal)
  - con o sin adversario (en actitud activa o pasiva)
  - ejercicio ambidiestro

y otros muchos.

TABLA 3: *Variaciones en la ejecución de movimientos.*

- Los ejercicios deben llevarse a cabo con precisión, rapidez y ritmo.
- Deben combinarse los distintos ejercicios y formas de juego.

- El entrenamiento de la coordinación y la técnica se debería acompañar en todo momento con el entrenamiento de la movilidad: creación de un elevado nivel de flexibilidad de las articulaciones y de una fuerza elástica de la musculatura.
- Los ejercicios deben tener la mayor diversidad posible, es decir, crear experiencias individuales positivas.
- De vez en cuando pueden llevarse a cabo los ejercicios al final del entrenamiento (se pretende en este caso el aumento de la capacidad de concentración en un estado de cansancio).

Actitud del entrenador/técnico: en la ejecución de ejercicios de coordinación debe tenerse en mente los siguientes puntos:

- Crear un ambiente positivo: debe «ser divertido».
- Al mismo tiempo, animar a los jugadores a no perder la concentración, actuando de manera exigente y motivadora.
- Asegurarse de que los ejercicios se lleven a cabo de manera precisa/exacta.
- Corregir errores permanentemente.
- Procurar el mayor nivel de exigencia individual, crear en cada uno la «vivencia de su éxito».
- Trabajar centrado en los jugadores, exigiendo creatividad mediante la búsqueda de variación en las posibilidades individuales.
- Estimular a los jugadores a practicar también en casa, planteando «deberes»: filigranas, recepciones, lanzamientos, etc.

taxofit
taxofit

2. EJECUCIÓN DEL ENTRENAMIENTO DE LA COORDINACIÓN

A) LA TÉCNICA

Representado de un modo sencillo, la capacidad de rendimiento del futbolista se compone de cuatro elementos fundamentales:

- Capacidades físicas
- Capacidad de maniobra táctica
- Cualidades técnicas
- Capacidades psíquicas

El nivel de cada uno de los elementos determina la capacidad de juego del futbolista. En el momento en el que éste ha adquirido las capacidades, cualidades y conocimientos en cada una de las cuatro áreas, está capacitado para actuar de acuerdo con la idea del juego. Cuanto mayor sea la valoración del dominio en cada uno de los elementos, mayor será el nivel de juego del futbolista.

En los dos bloques temáticos que siguen se analizarán por separado dos de los cuatro elementos fundamentales del fútbol: la técnica y la táctica.

La técnica describe el modelo ideal de un movimiento y la realización de este «movimiento ideal» (Grosser/Neumaier, 1982). La «técnica en el fútbol describe cada uno de los movimientos que pueden ser elegidos para llevar a cabo una tarea determinada, teniendo en cuenta las normas establecidas» (Kollath, 1991).

La técnica en el deporte del fútbol se compone de tres áreas:

Movimientos sin balón	
Situación de parado, andar, trotar, correr, esprintar	
Movimientos hacia el balón	
Saltar, empujar, tackling	
Movimientos con balón	
Regate/finta	pase
tiro a puerta	control del balón
juego de cabeza	juego del portero

En los siguientes capítulos se representan ejercicios de coordinación para los movimientos específicos con balón. Tras una breve definición de cada una de las técnicas (por ejemplo, «¿en qué consiste el pase?») sigue una descripción de las distintas posibilidades para aplicarlas en el juego (por ejemplo, «¿en qué momento del juego se utiliza el pase?») y un buen número de variaciones técnicas (por ejemplo, «¿de qué manera pueden llevarse a cabo distintos pases?»).

1. EL REGATE/LA FINTA

Las técnicas del regate y de la finta constituyen habilidades técnicas elementales del fútbol, puesto que son válidas para otro gran número de técnicas en este deporte.

En el terreno del alto rendimiento se observa cada vez más cómo se da menor importancia al regate como técnica dominadora del juego (en favor de un juego de conjunto más dinámico). No obstante, ahora y en el futuro siempre será necesario proveer al futbolista de las herramientas técnicas imprescindibles, en cuyo caso el regate siempre estará en primer lugar.

Se diferencian tres formas de **regate:**

- Protección del balón

Esta acción se ejecuta sobre todo con el interior del pie. Se utiliza para asegurar la posesión del balón dentro del equipo. El balón se controla sin que conlleve un avance espacial significativo en dirección a la portería contraria. Esta forma de regate se utiliza, por ejemplo, cuando se pretende ralentizar el ritmo de juego o cuando el jugador que lleva el balón espera el apoyo de compañeros retrasados.

- Regate en carrera

También se conoce como regate de recorrido y tiene lugar a mucha o a la máxima velocidad. Debido precisamente a esta rapidez, el balón se controla en este caso sobre todo con el empeine. El regate en carrera puede llevarse a cabo de manera dominada y se pueden salvar grandes distancias de forma relativamente rápida, como cuando se intercepta el ataque del adversario y se inicia a continuación la jugada de contraataque.

- Regate con finta

Esta forma de regate se ejecuta sobre todo con el interior, el exterior y la planta del pie. En el regate con finta se produce la confrontación directa con al menos un adversario, al que es necesario superar con alguna técnica de regate o finta. En este caso, el jugador puede aplicar numerosas técnicas individuales diferentes: distintas velocidades de carrera (fintas de cambio de ritmo), fintas corporales, fintas de zancada, fintas de disparo o pase, así como fintas de cambio de dirección o fintas de distracción visual.

- Fintas corporales o de zancada

  Mediante el desplazamiento del tronco o el inicio de una zancada, simular una determinada dirección del movimiento y, tras la reacción del contrario, continuar en dirección contraria (truco de Mathews, «pisada de balón» sencilla/doble/con el interior/con el exterior, giro de Beckenbauer, bicicleta, truco con la planta).

- Finta de disparo o pase

  El jugador que lleva el balón simula un disparo o pase y regatea, llevándose el balón tras la reacción del adversario, rebasándole por su «contrapié» (pierna de apoyo).

- Finta de cambio de dirección

  El jugador que lleva el balón cambia repentinamente su dirección de carrera a intervalos irregulares.

- Finta de cambio de ritmo

  El jugador que lleva el balón aminora momentáneamente su velocidad de carrera, rebasando al contrario con un repentino cambio de ritmo.

- Finta de distracción visual

  El jugador que lleva el balón engaña a su adversario mirando en una dirección e iniciando su carrera inmediatamente al lado contrario.

Consejos para la realización

- Apartar la mirada del balón y dirigirla al suelo aproximadamente a tres metros del balón (campo de visión periférica, que incluye el balón, a los compañeros y a los adversarios).
- Conducción del balón ajustada, es decir, tocar el balón muy a menudo durante el regate (en cada paso adelante con el pie de la pierna que dirige la carrera).
- El cuerpo debe interponerse entre el balón y el adversario, de modo que el esférico quede protegido.
- Las fintas deben emplearse conscientemente. Si el adversario reacciona a la finta, debe tratar de ser rebasado con un cambio de ritmo por el lado de su pierna de apoyo.

La técnica

Formas de entrenamiento del regate y la finta

a) Carrera/conducción sobre barras

Equipamiento

Ocho barras, cuatro conos, un balón por jugador.

Preparación:

Colocar frente a dos conos de salida, separados 3 metros entre sí, cuatro barras separadas medio metro una de otra y a otros 3 metros de los conos. A izquierda y derecha de cada grupo de palos se coloca otro cono, a una distancia de metro y medio. El entrenador se coloca centrado 4 metros por detrás de las barras, encargándose de dar la salida a los ejercicios. Los jugadores, divididos en dos grupos iguales, se sitúan por detrás de los conos de salida.

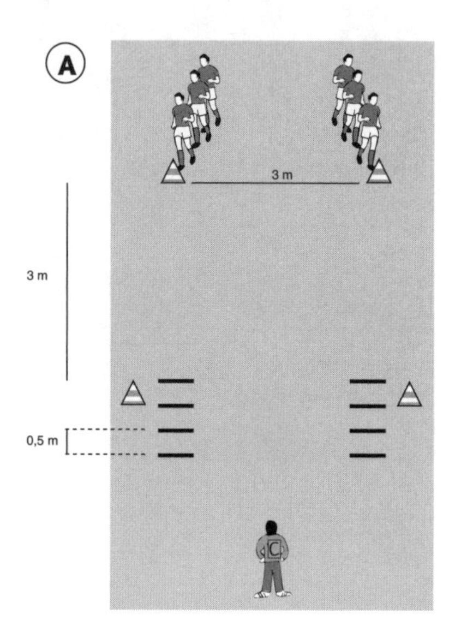

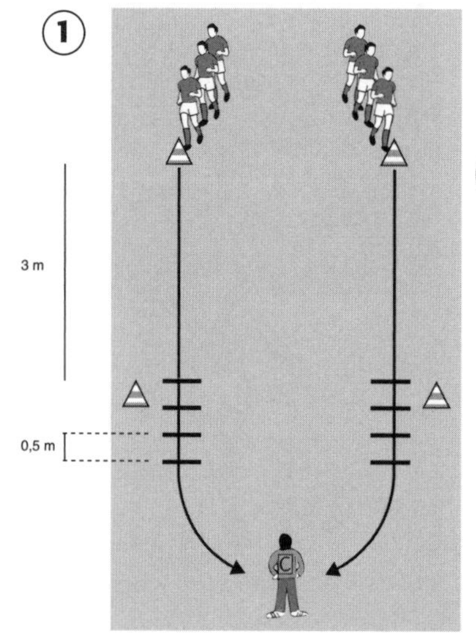

Desarrollo

Ejercicios sin balón

Ejercicio 1:

A la señal (acústica o visual) del entrenador, arrancan los dos jugadores situados en primer lugar delante de los conos, saltando por encima de las barras y finalizando el ejercicio cuando llegan donde está el entrenador. Los jugadores deben tocar el suelo con uno de los pies cada vez que saltan entre cada barra.

Ejercicio 2:
Como en el ejercicio anterior, pero ahora los jugadores no saltan sobre las barras que tienen enfrente sino que, tras la salida, se cruzan y superan las barras del otro grupo hasta que alcanzan al entrenador (cambio de lado, orientación).

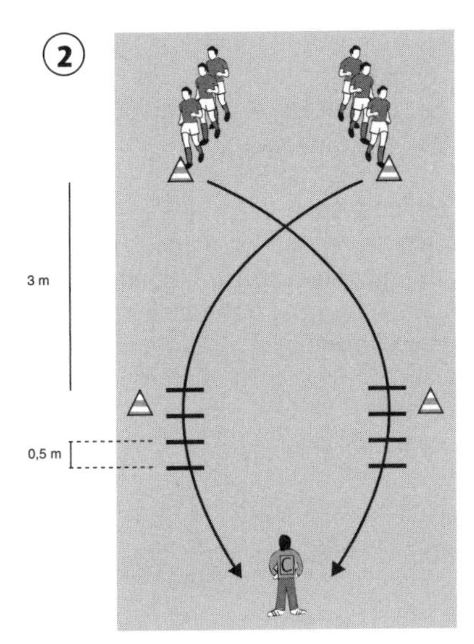

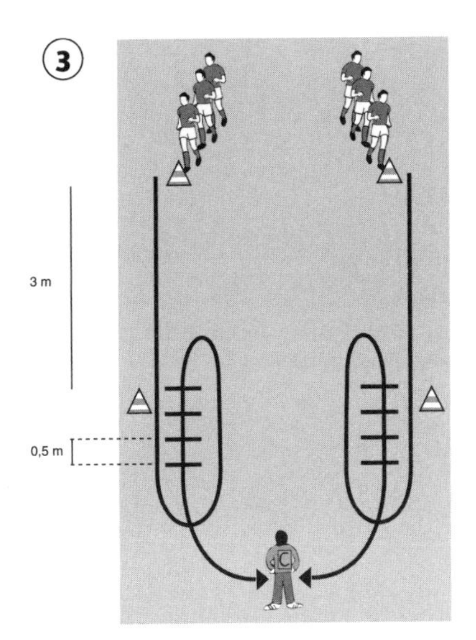

Ejercicio 3:
Los jugadores rodean las barras de su lado una vez y saltan por encima de ellas hasta llegar al entrenador.

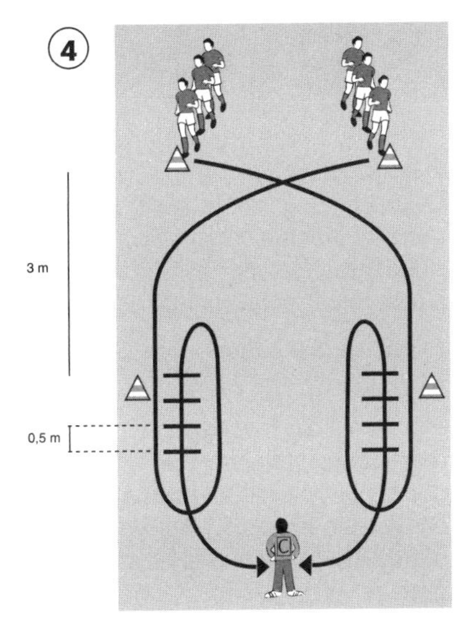

Ejercicio 4:
Como en el ejercicio anterior, pero ahora los jugadores no rodean las barras que tienen enfrente sino que, tras la salida, se cruzan, rodean las barras del otro grupo y saltan por encima de éstas hasta alcanzar al entrenador (cambio de lado, orientación).

Ejercicio 5:
Después de tomar la salida, los jugadores corren hasta el entrenador sorteando las barras en zigzag.

Ejercicio 6:
Como en el ejercicio anterior, pero ahora los jugadores sortean las barras del otro grupo en zigzag hasta alcanzar al entrenador (cambio de lado, orientación).

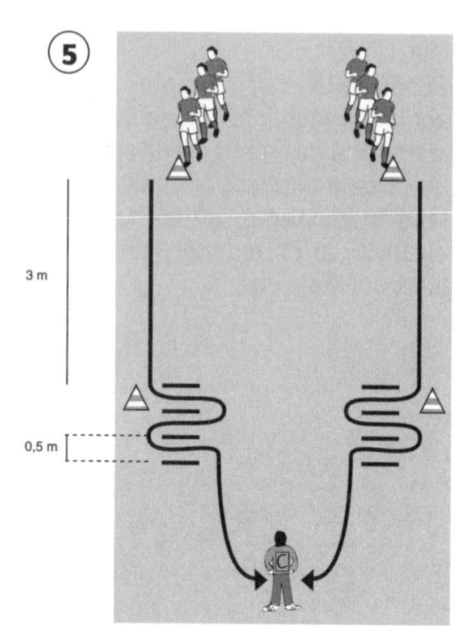

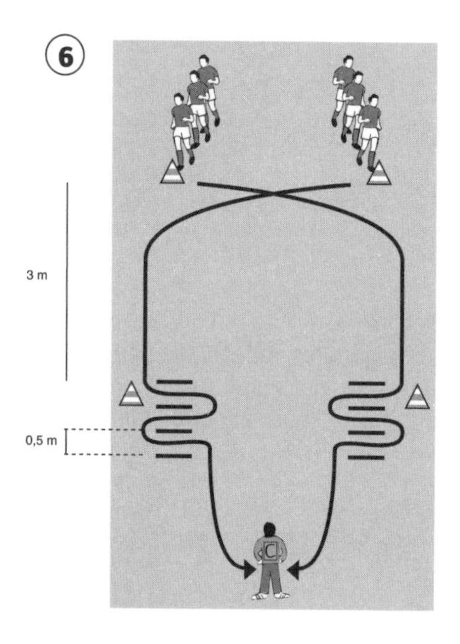

Ejercicio 7:
Como en los ejercicios 1 a 6, pero las barras se sitúan ahora a diferentes distancias unas de otras.

Ejercicio 8:
Como en los ejercicios 1 a 7, pero el entrenador aumenta/disminuye su distancia frente a las barras, de tal manera que se modifica la longitud de la carrera.

Ejercicios con balón

Ejercicio 9:
Tras la salida, los jugadores conducen una vez con el balón en los pies alrededor de las barras, depositan el balón en el cono exterior y corren por encima de las barras hasta alcanzar al entrenador.

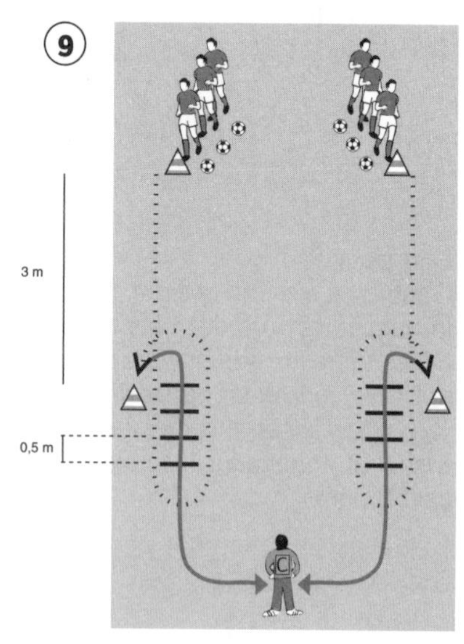

Ejercicio 10:
Como en el ejercicio anterior, pero los jugadores conducen alrededor de las barras de sus compañeros, dejan el balón en el cono y corren por encima de las barras hasta alcanzar al entrenador (cambio de lado, orientación).

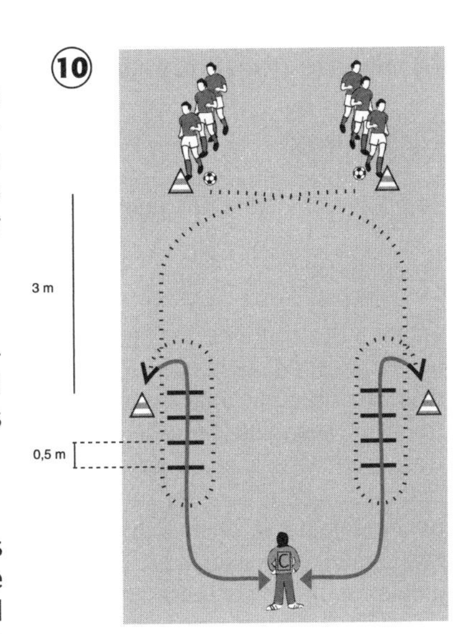

Ejercicio 11:
Los jugadores sortean las barras conduciendo en zigzag, dejan el balón en el cono y corren por encima de las barras hasta el entrenador.

Ejercicio 12:
Como en el ejercicio anterior, pero los jugadores conducen entre las barras de sus compañeros, dejan el balón en el cono y corren por encima de las barras hasta alcanzar al entrenador (cambio de lado, orientación).

Consejos para el entrenador:

- Se pueden lograr otras variantes de ejercicios mediante modificaciones de los recorridos de carrera y regate (o distintas combinaciones de los recorridos).
- Introducir variaciones para la salida: giros, saltos, volteretas.
- Llevar a cabo los ejercicios como una competición: a ver quién llega primero hasta el entrenador.

b) Regate utilizando conos

Equipamiento:

Seis conos, un balón por jugador.

Preparación:

Frente a dos conos de salida, separados 5 metros entre sí, se marca a 2 metros de distancia un espacio de regate con cuatro conos, separados entre sí otros 5 metros. El entrenador se coloca centrado 4 metros por detrás de los conos, encargándose de dar la salida a los ejercicios. Los jugadores, divididos en dos grupos iguales, se sitúan por detrás de los conos de salida.

(A)

2 m
5 m
4 m

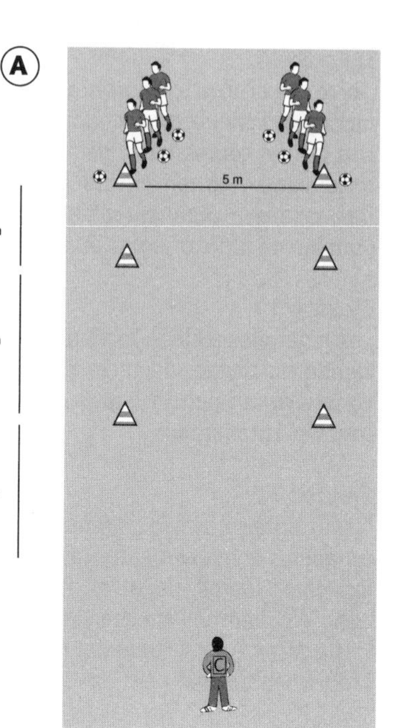

(1)

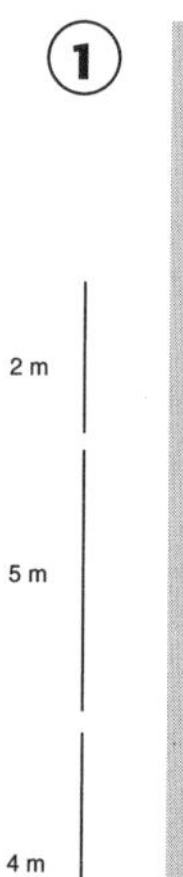

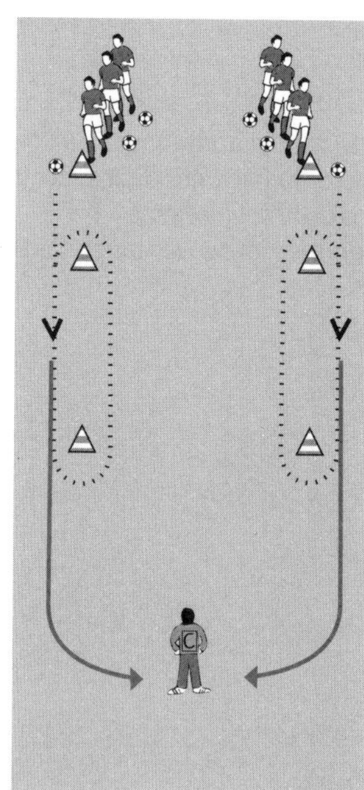

Desarrollo:

Ejercicio 1:
Los jugadores situados en primer lugar conducen con el balón en una carrera circular alrededor de los dos conos que tienen enfrente. A una señal (acústica o visual) de su entrenador, dejan el balón en el suelo y terminan el ejercicio con una carrera hasta donde está colocado el entrenador.

Ejercicio 2:
Como en el ejercicio anterior, pero los jugadores conducen ahora con el balón en una carrera circular y diagonal alrededor de los conos, de tal manera que se cruzan en todo momento (orientación frente al balón y el contrario).

Ejercicio 3:
Como en el ejercicio 1, pero ahora los jugadores conducen con el balón en una carrera circular alrededor de los cuatro conos, corriendo uno de los jugadores a la izquierda de los conos y el otro a la derecha. De este modo, los dos jugadores implicados se encuentran una y otra vez durante la ejecución de los regates (orientación frente al balón y el contrario).

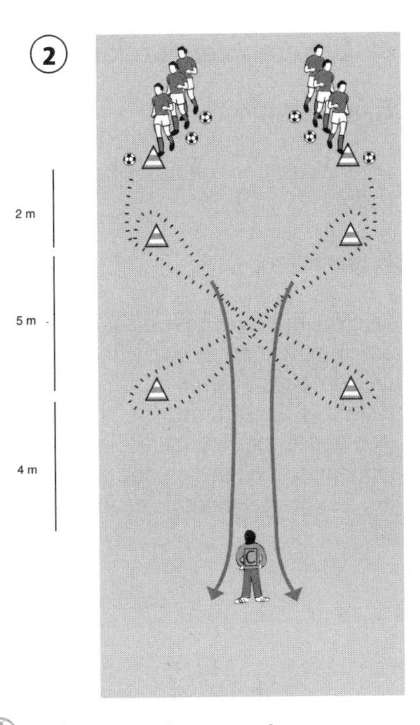

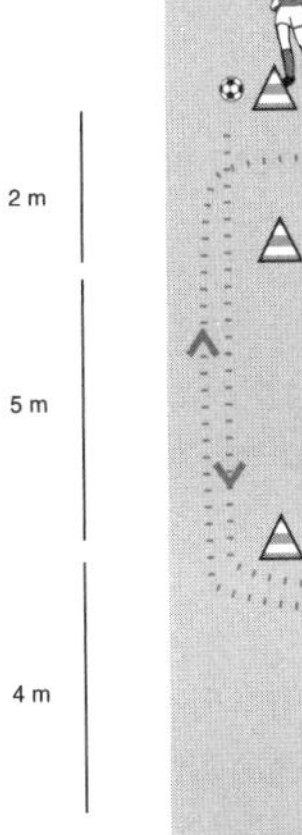

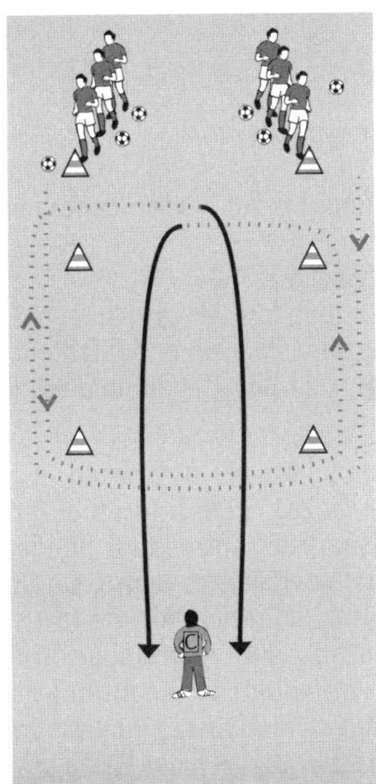

Consejos para el entrenador:

- Se pueden lograr otras variantes mediante ejercicios adicionales después de la señal del entrenador (giros, saltos, volteretas).
- Llevar a cabo los ejercicios como una competición: a ver quién llega primero hasta el entrenador.

c) Carrera y conducción en zigzag

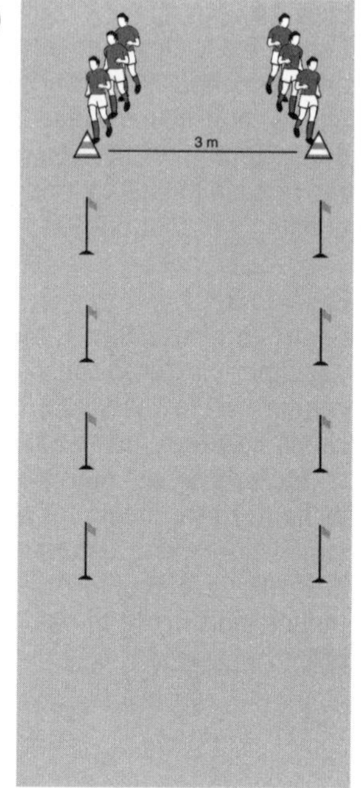

Equipamiento:

Ocho picas, dos conos, un balón por jugador.

Preparación:

Se colocan dos conos de salida, separados 3 metros entre sí. Delante de cada uno de ellos se coloca a 2 metros de distancia un recorrido de cuatro picas (separados metro y medio entre sí). Los jugadores, divididos en dos grupos iguales, se sitúan por detrás de los conos de salida.

1

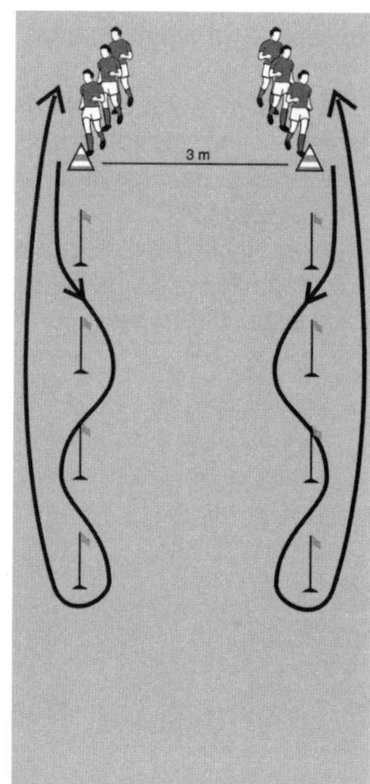

Desarrollo:

Ejercicios sin balón - carrera en zigzag

Ejercicio 1:
Los jugadores atraviesan el recorrido en zigzag y vuelven por el lado exterior de las picas hasta el punto de salida.

Ejercicio 2:
Los jugadores atraviesan el recorrido en zigzag, pero a la señal (acústica o visual) del entrenador añaden distintos movimientos dentro de la carrera: giro y continuación de la carrera en zigzag, salto y continuación de la carrera, voltereta y continuación de la carrera. Finalmente vuelven por el lado exterior de las picas hasta el punto de salida.

Ejercicio 3:
Como en el ejercicio 1, pero los jugadores no vuelven ahora por el lado exterior sino que recorren también el otro grupo de picas, de tal modo que terminan el ejercicio en el otro cono de salida (orientación frente a las picas y el compañero).

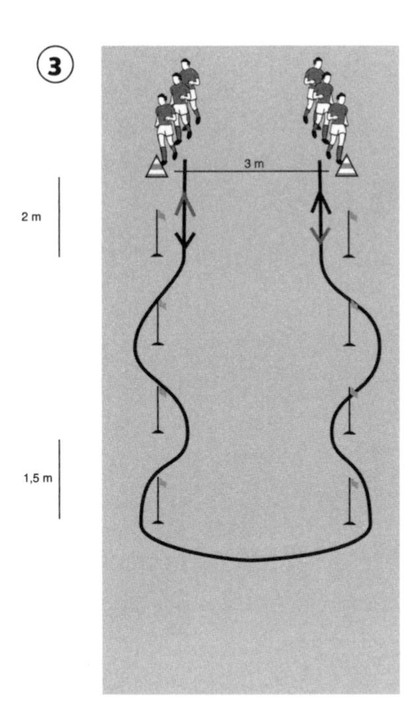

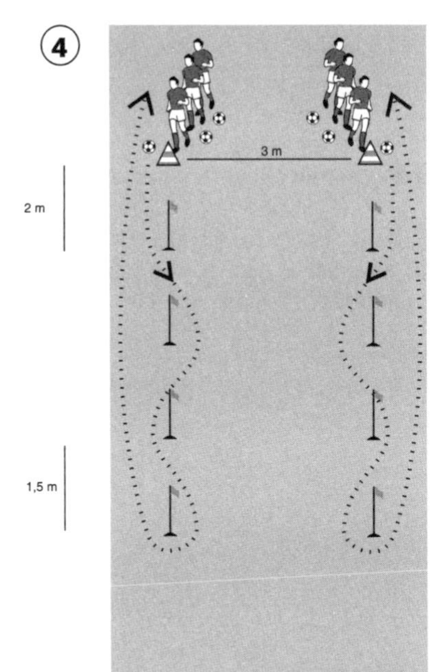

Ejercicios con balón - conducción en zigzag

Ejercicio 4:
Los jugadores conducen entre las picas, volviendo con el balón por el lado exterior hasta el punto de salida.

Ejercicio 5:
Los jugadores conducen entre las picas y tienen que rodear, a la señal (acústica o visual) del entrenador, el siguiente banderín una vez por completo. Después continúan la conducción en zigzag, volviendo con el balón por el lado exterior hasta el punto de salida.

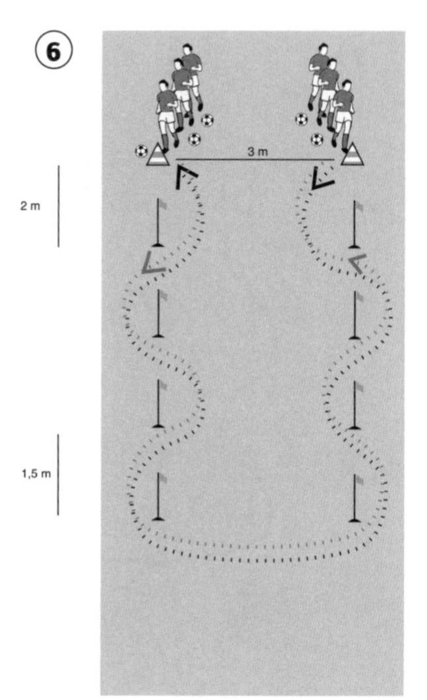

Ejercicio 6:
Como en el ejercicio 4, pero los jugadores no vuelven ahora por el lado exterior sino que conducen también entre el otro grupo de banderines, de tal modo que terminan el ejercicio en el otro cono de salida (orientación frente a las picas y el compañero).

Consejos para el entrenador:

- Todos los ejercicios pueden ser modificados de tal manera que los jugadores cambien de lado en el momento de la salida y corran o regateen por las picas situadas delante del otro cono de salida.
- Aprendizaje de la atención visual: durante las carreras y los regates por las picas, hay que prestar atención al balón y a los adversarios con los que se producen cruces. Deben evitarse los choques y las pérdidas de balón.

La técnica

d) Minipirámide

Equipamiento:

Seis picas, dos conos, un balón por jugador.

Preparación:

Se colocan dos conos de salida, separados 5 metros entre sí. Delante de cada uno de ellos se colocan, a 3 metros de distancia, tres picas (separadas entre sí por metro y medio). Los jugadores, divididos en dos grupos iguales, se sitúan por detrás de los conos de salida.

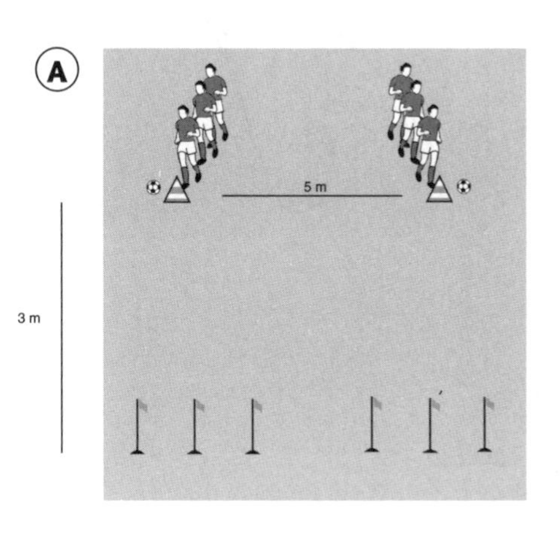

Desarrollo:

Ejercicios sin balón

Ejercicio 1:
Los jugadores corren desde el cono de salida, salvando en zigzag las tres picas y volviendo de nuevo al punto de salida. En el momento en que el primer jugador se encuentra próximo a la pica central, comienza el ejercicio el siguiente.

Ejercicio 2:
Como en el ejercicio anterior, pero en este caso los jugadores rodean una vez la pica central de forma completa con zancadas cortas y rápidas.

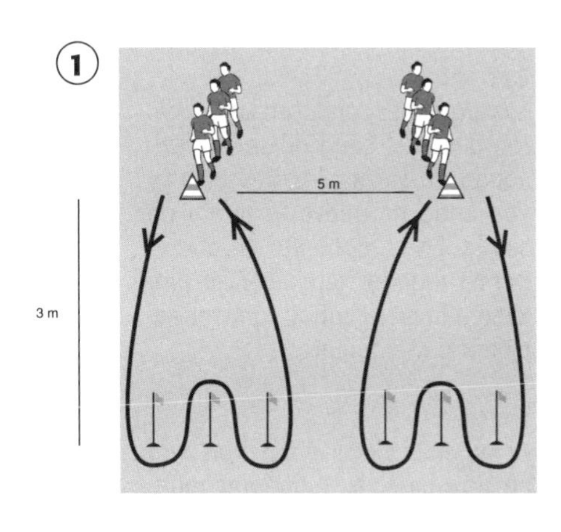

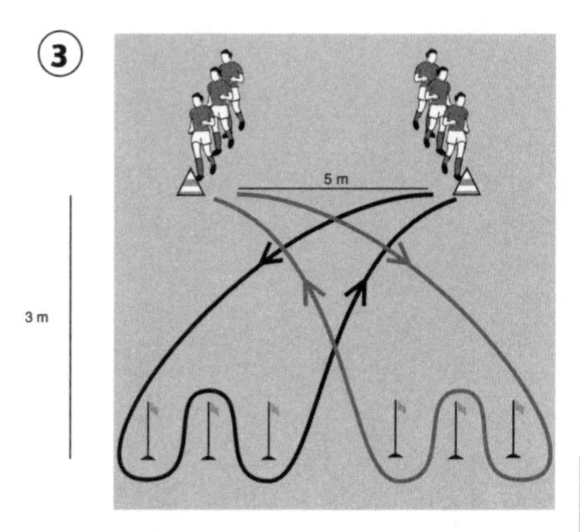

Ejercicio 3:
Como en el ejercicio 1, pero los jugadores no recorren en zigzag las picas que tienen enfrente, sino que cruzan hacia las picas del otro lado, atravesándolas y volviendo de nuevo en diagonal hasta el punto original de salida .

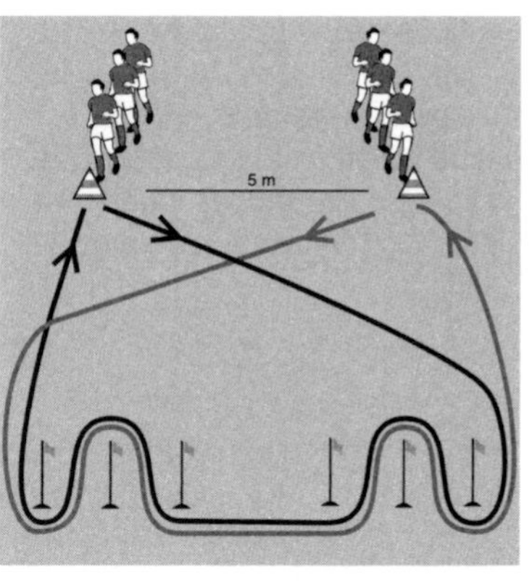

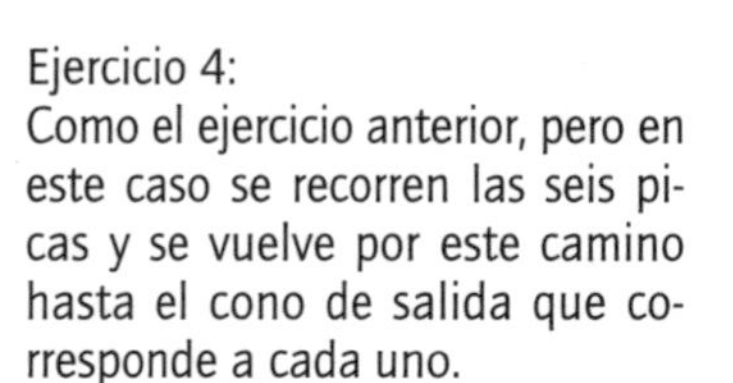
Ejercicio 4:
Como el ejercicio anterior, pero en este caso se recorren las seis picas y se vuelve por este camino hasta el cono de salida que corresponde a cada uno.

Ejercicios con balón

Ejercicio 5:
Los jugadores conducen con el balón desde el cono de salida, salvando en zigzag las tres picas y volviendo de nuevo al punto de salida. En el momento en que el primer jugador se encuentra próximo a la pica central, comienza el ejercicio el siguiente.

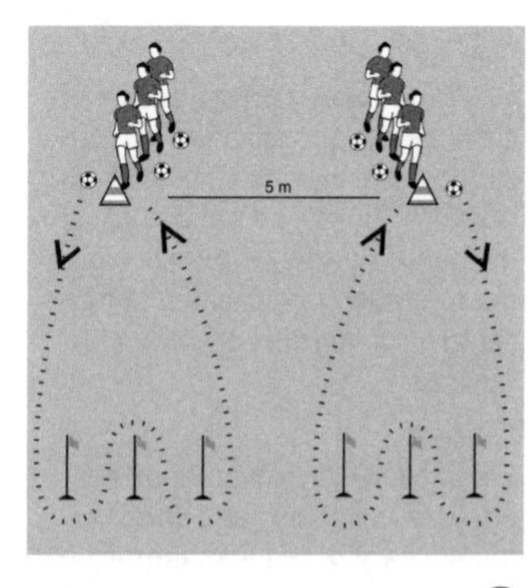

Ejercicio 6:
Como en el ejercicio anterior, pero en este caso los jugadores regatean una vez a la pica central de forma completa.

Ejercicio 7:
Como en el ejercicio 5, pero los jugadores no conducen en zigzag las picas que tienen enfrente, sino que cruzan hacia las picas del otro lado, atravesándolas y volviendo de nuevo en diagonal hasta el punto original de salida.

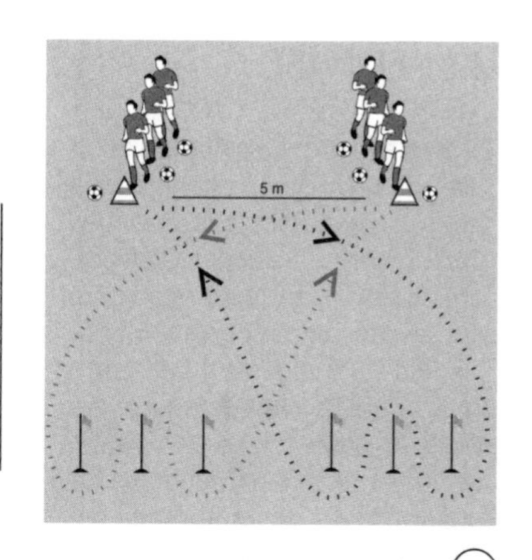

Ejercicio 8:
Como el ejercicio anterior, pero en este caso se conduce entre las seis picas y se vuelve por este camino hasta el cono de salida que corresponde a cada uno.

Ejercicio 9:
Como el ejercicio anterior, salvo que en este caso los jugadores llevan a cabo una finta en el espacio que queda entre los dos grupos de picas.

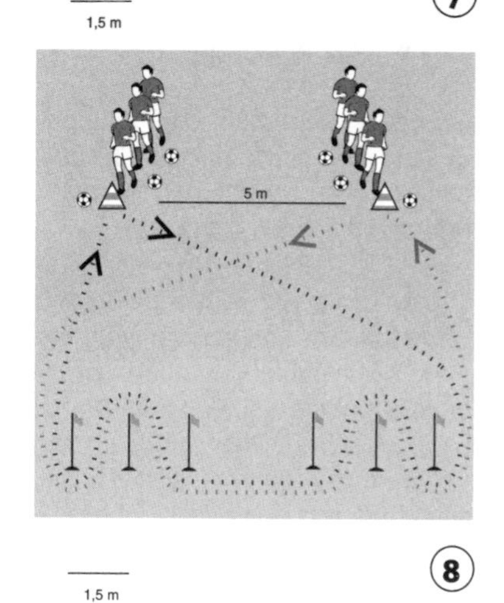

Consejos para el entrenador:

- Aprendizaje de la atención visual: durante las carreras y los regates por los banderines, hay que prestar atención al balón y a los adversarios con los que se producen cruces. Deben evitarse los choques y las pérdidas de balón.

2. EL PASE

El pase supone el envío del balón que está en juego de un jugador a otro. Los pases en sus formas más diversas son la base del fútbol interpretado de un modo moderno, que se caracteriza por combinaciones rápidas y seguras y una participación relativamente escasa del regate. Es sobre todo en los niveles medio y superior del rendimiento futbolístico donde resulta cada vez más notoria la tendencia a la disminución de los contactos del balón del jugador individual.

Los pases se ejecutan sobre todo por impacto con el interior del pie. Eso no impide que también puedan llevarse a cabo con el empeine (con su parte frontal y sus superficies interna y externa), así como con otras variantes de impacto (talón, puntera, bote pronto, volea o chilena).

El pase con el interior del pie se utiliza especialmente a corta distancia, que exige sobre todo mucha precisión y un menor grado de fuerza. Constituye la técnica del pase más habitual y se utiliza sobre todo en la organización controlada del juego, en los cambios de juego o en la creación de paredes.

Las mayores distancias se salvan con pases ejecutados con el empeine interior, gracias a que con esta técnica es posible alcanzar importantes velocidades del balón. A menudo se utilizan los pases con el empeine al iniciar el contraataque, en los cambios de juego sobre zonas libres del terreno de juego o en los saques de portería. Si se ejecuta de forma medida, también puede utilizarse el pase con el empeine para distancias medias y cortas.

En la media distancia se utiliza con frecuencia el pase con el empeine interior y exterior. Con esta técnica del pase el balón se golpea relativamente desplazado de su centro, por lo que el pase puede ejecutarse con efecto. Mediante esta forma del pase puede rodearse al adversario, lo que implica importantes ventajas en tiros de falta, saques de esquina o cambios de juego.

- Pase con el interior del pie

El interior del pie constituye la superficie de golpeo. El pie de golpeo se fija mediante la elevación de la punta del pie hacia la tibia. El pie de apoyo se sitúa junto al balón, a la distancia de un pie.

- Pase con el empeine interior

  El empeine interior constituye la superficie de golpeo. Tiene que fijarse el pie de golpeo y la pierna tiene que impulsarse tras el impacto del balón por delante de la pierna de apoyo.

- Pase con el empeine total

  El empeine constituye la superficie de golpeo. El pie de golpeo se fija con el estiramiento del pie en dirección al suelo. La pierna de golpeo se impulsa después del pase/disparo hacia delante/arriba.

- Pase con el empeine exterior

  La parte exterior del empeine constituye la superficie de golpeo. El pie de juego se fija rotándolo hacia dentro y con una inclinación moderada.

La técnica

Formas de entrenamiento del pase

a) Utilización del pase y carrera

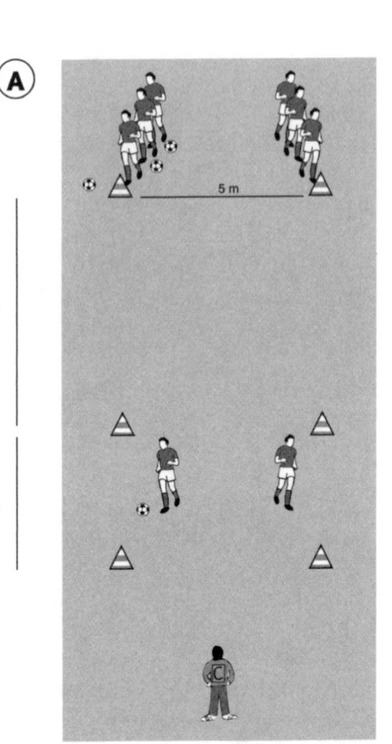

Equipamiento:

Seis conos, un balón por cada pareja de jugadores.

Preparación:

Frente a dos conos de salida, separados 5 metros entre sí, se crea a otros 4 metros un cuadrado de 5 por 2 metros con cuatro conos. El entrenador se coloca centrado a 6 metros por detrás del cuadrado, encargándose de dar la salida para realizar los ejercicios.

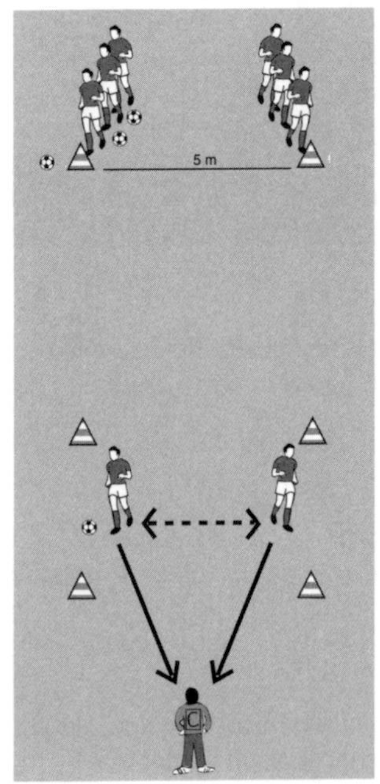

Desarrollo:

Dos jugadores se sitúan dentro del cuadrado, uno frente al otro, y se pasan el balón lo más cerca posible. Los demás jugadores esperan repartidos en dos grupos iguales delante de los conos de salida.

Ejercicio 1:
A la señal (acústica/visual) del entrenador, los jugadores hacen rodar el balón y salen corriendo, terminando el ejercicio al llegar al entrenador.

Ejercicio 2:
Como en el ejercicio anterior, pero ahora, antes de salir corriendo hacia el entrenador, los jugadores añaden un ejercicio suplementario (giro, imitación de un lanzamiento de cabeza, voltereta, carrera alrededor de los conos).

Ejercicio 3:
En cada uno de los primeros conos del cuadrado se sitúa un jugador, que pasa el balón lo más cerca posible al primer jugador situado en el cono de salida. A la señal (acústica/visual) del entrenador, los jugadores hacen rodar el balón, se giran y salen corriendo, terminando el ejercicio al llegar al entrenador.

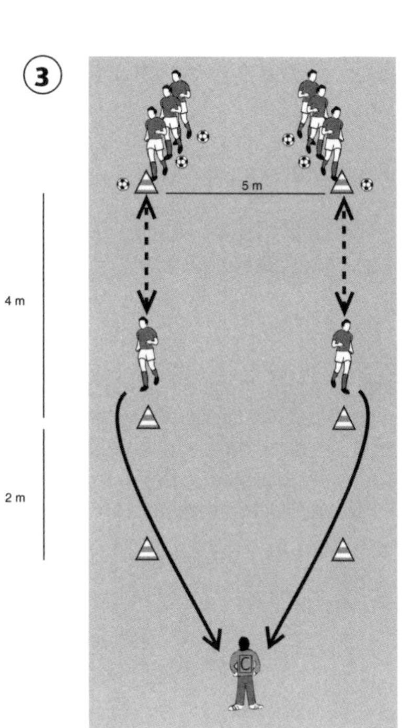

Ejercicio 4:
Como en el ejercicio anterior, pero ahora, antes de salir corriendo hacia el entrenador, los jugadores añaden un ejercicio suplementario (giro, imitación de un lanzamiento de cabeza, voltereta, carrera alrededor de los conos).

Consejos para el entrenador:

- Una vez alcanzado un nivel de rendimiento superior, es posible llevar a cabo los ejercicios con dos balones al mismo tiempo (aprendizaje del ritmo: jugar los dos balones al mismo tiempo/al mismo ritmo).
- Jugar al primer toque sólo cuando, una vez sacado, sea técnicamente posible. En caso contrario debe pararse brevemente el balón.
- En todos los ejercicios el entrenador puede disminuir o aumentar su distancia respecto del cuadrado, de tal modo que los jugadores tengan que salvar distancias diferentes en cada caso.
- Llevar a cabo los ejercicios como una competición: a ver quién llega primero hasta el entrenador.

b) Pared y carrera

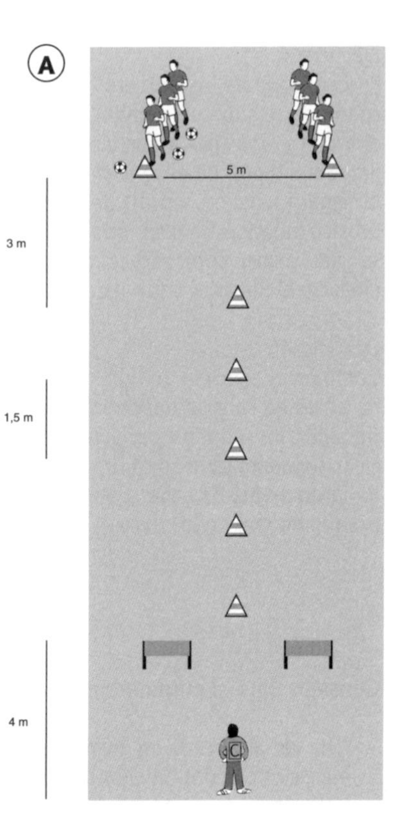

Equipamiento:

Siete conos, dos vallas, un balón por cada pareja de jugadores.

Preparación:

Frente a dos conos de salida, separados 5 metros entre sí, se sitúa a otros 3 metros una serie de 5 conos, separados entre sí metro y medio, de tal manera que se crean cuatro porterías con los conos.

Detrás del último cono se coloca una valla a cada lado. El entrenador se coloca centrado a 4 metros por detrás de las vallas. Los jugadores, divididos en dos grupos iguales, se sitúan por detrás de los conos de salida.

Desarrollo:

Ejercicio 1:
La primera pareja juega el balón, pasándolo lo más cerca posible al pie a través de las porterías formadas con los conos. Después del último pase saltan por encima de la valla y corren hasta el entrenador, finalizando así el ejercicio.

Ejercicio 2:
Como en el ejercicio anterior, pero ahora, después del último pase, los jugadores añaden un ejercicio suplementario (giro, imitación de un lanzamiento de cabeza, voltereta, carrera alrededor de los conos). Finalmente saltan por encima de la valla y corren hasta el entrenador, donde acaba el ejercicio.

Ejercicio 3:
Como en el ejercicio 1, pero en este caso los jugadores hacen una pared en cada una de las porterías formadas con los conos.

Ejercicio 4:
Como en el ejercicio anterior, pero ahora, después del último pase, los jugadores añaden un ejercicio suplementario (giro, imitación de un lanzamiento de cabeza, voltereta, carrera alrededor de los conos).

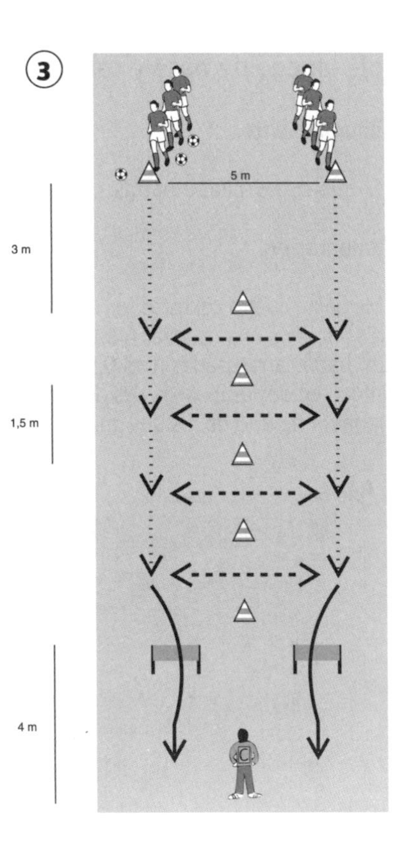

Consejos para el entrenador:

- El juego de pase debe ser ejecutado con corrección técnica y sin presión de tiempo.
- Jugar al primer toque sólo cuando, una vez sacado, sea técnicamente posible. En caso contrario debe pararse brevemente el balón.
- En todos los ejercicios el entrenador puede disminuir o aumentar su distancia respecto de la línea de conos, de tal modo que los jugadores tengan que salvar distancias diferentes en cada caso.
- Las porterías formadas con los conos pueden agrandarse (para facilitar el ejercicio) o disminuirse (para una mayor dificultad).
- Los ejercicios se pueden llevar a cabo también sin las dos vallas.
- Llevar a cabo los ejercicios como una competición: a ver quién llega primero hasta el entrenador.

c) Juego de pase y carrera circular

Equipamiento:

Cuatro conos, cuatro barras, un balón por cada grupo de jugadores.

Preparación:

Mediante cuatro conos se forman dos porterías (de 2,5 metros de anchura) situadas a 10 metros una de otra. A uno de los lados se colocan entre las dos porterías cuatro barras atravesadas (con 0,5 metros de distancia entre barras). Los jugadores se sitúan en dos grupos iguales dentro de las dos porterías, llevando el balón el primer jugador de uno de los dos grupos.

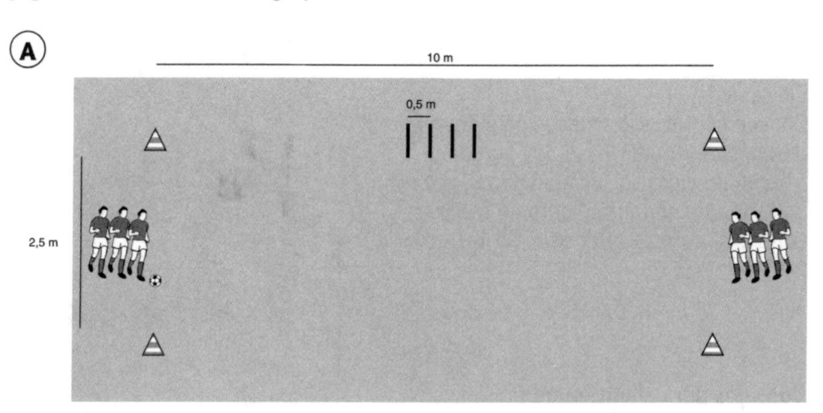

Desarrollo:

Ejercicio 1:
Los jugadores se pasan el balón lo más cerca posible y, después de cada pase, cambian de lado por su derecha. Al correr sobre las barras, deben sortear las mismas tocando el suelo con uno de los pies cada vez que saltan entre cada una de ellas. En el lado contrario, los jugadores cambian de lado con una carrera recta.

Ejercicio 2:
Como en el ejercicio anterior, pero ahora se introducen variaciones en las carreras en cada cambio de lado. Las barras son sorteadas en zigzag o rodeadas una vez por completo, saltando después por encima. En la carrera recta los jugadores añaden un ejercicio suplementario (giros, imitaciones de un lanzamiento de cabeza, voltereta).

①

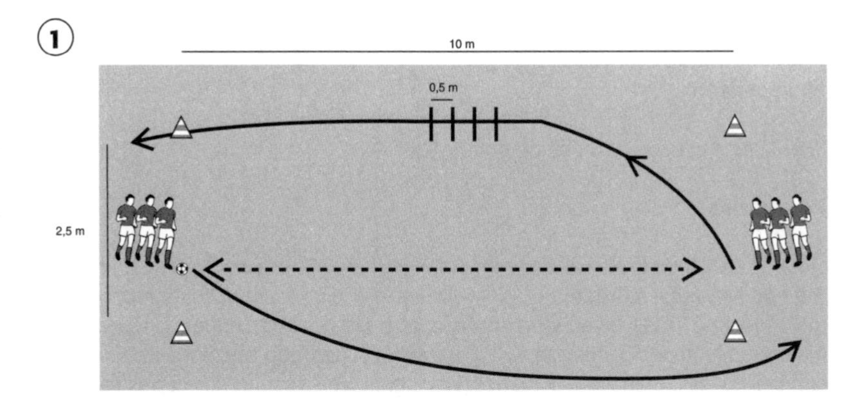

Ejercicio 3:
Como en el ejercicio 1, pero ahora se varía el juego de pases:
- Se lanzan los balones con la mano.
- En el grupo de uno de los dos lados cada jugador tiene un balón. Después del pase los jugadores corren sobre las barras, sorteándolas o rodeándolas, según se indique. Los jugadores del otro lado reciben el balón y conducen con él hasta el lado contrario.

Consejos para el entrenador:

- Jugar al primer toque sólo cuando, una vez recibido el pase, sea técnicamente posible. En caso contrario debe pararse brevemente el balón.

d) Pase y control de tiempos

Equipamiento:

Seis picas, siete conos, un balón por jugador

Preparación:

Delante de un cono de salida se dispone, a una distancia de 3 metros, un recorrido de picas que se alternan (a una distancia a lo largo y ancho de metro y medio). Próximo a las picas se colocan cuatro conos, que forman un cuadrado (cuyos lados miden 3 metros). A 10 metros del cuadrado se coloca una portería con dos conos, de anchura 3 metros. Los jugadores se sitúan por detrás del cono de salida.

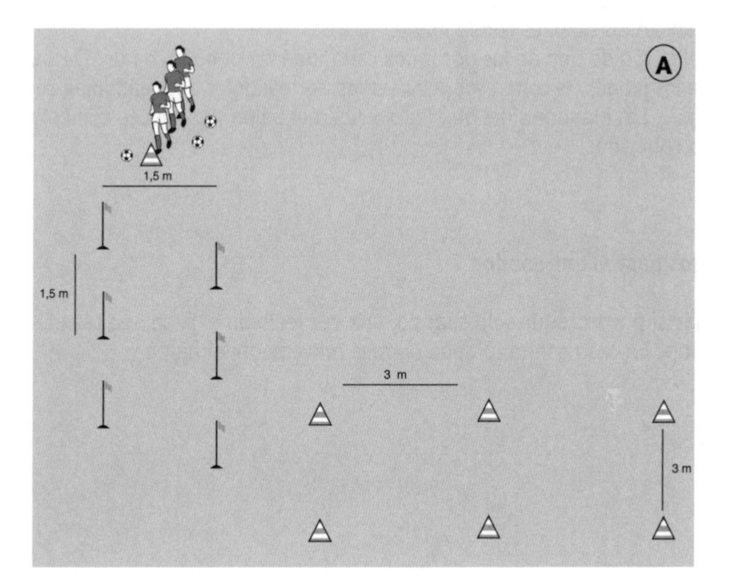

Desarrollo:

Ejercicio 1:
Los jugadores conducen en zigzag por el recorrido. Después conducen por el cuadrado de conos, rodeando los dos primeros en forma de ocho. Finalmente pasan el balón hacia la portería formada por los conos y, al tiempo que ejecutan el pase, echan a correr detrás del balón, para terminar el ejercicio dentro de la portería.

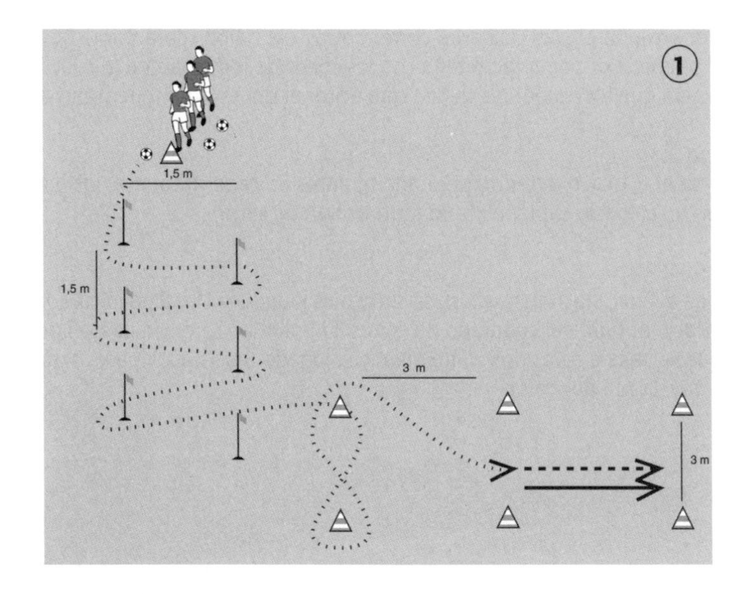

Ejercicio 2:
Los jugadores se envían un autopase por el centro del recorrido de picas y hacen el recorrido en carrera y sin balón. Después (si es posible de manera directa) vuelven a realizar otro autopase a través del cuadrado formado por los conos, enviando un pase hacia la portería.

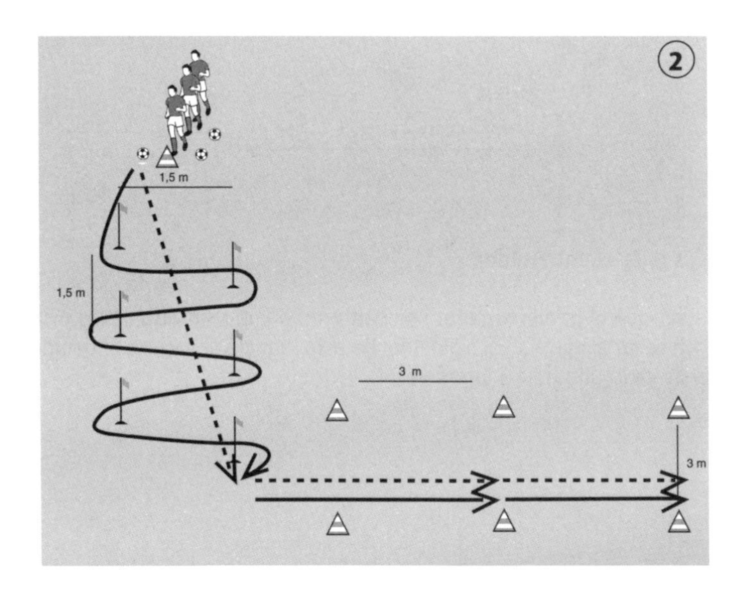

Una vez enviado el pase echan a correr detrás del balón (para aumentar la dificultad se puede disponer la portería con los conos de forma lateral al cuadrado, de tal manera que los jugadores tienen que evitar el gol en cuanto realizan el giro.

Ejercicio 3:
Como en el ejercicio anterior, pero ahora, antes de cada autopase, los jugadores añaden un ejercicio suplementario (giro, voltereta, salto).

Ejercicio 4:
Como en el ejercicio 2, pero ahora se sitúa otro jugador al final del recorrido de las picas y otro al final del cuadrado de conos. El balón no se envía con un autopase sino que se pasa a estos dos compañeros. El jugador que da los pases sigue siempre la trayectoria del balón.

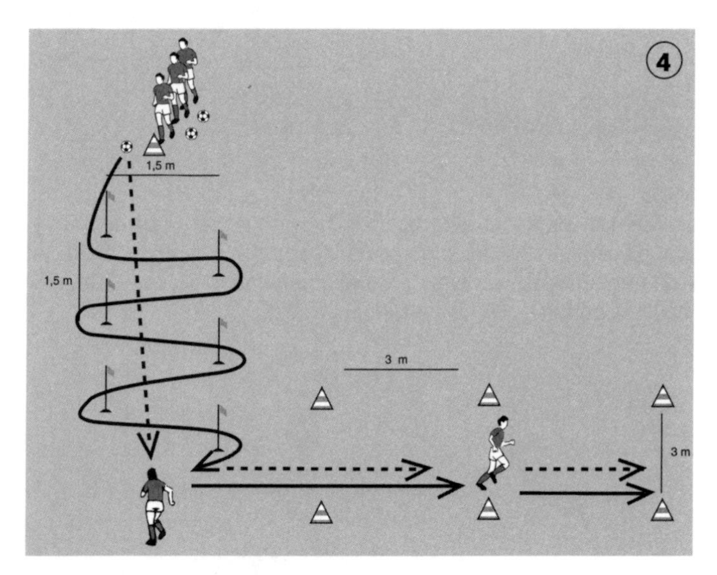

Consejos para el entrenador:

- Una vez que el primer jugador ha conducido por el recorrido de las picas, puede comenzar el ejercicio el siguiente. De esta manera se reduce el tiempo de espera de cada uno de los jugadores.

3. EL TIRO A PORTERÍA

La técnica del tiro a portería es prácticamente idéntica a la del pase (ver el capítulo correspondiente). El disparo a puerta se puede definir también como un pase que persigue el objetivo de obtener un gol. Todas las variantes del golpeo del pase son también variantes técnicas del tiro a portería. Éste se puede ejecutar con el interior del pie, llevar a cabo con el empeine (con su parte frontal y sus caras interna y externa), así como con otras variantes de impacto (talón, puntera, bote pronto, volea o chilena).

El tiro a portería con el interior del pie se utiliza sobre todo en ocasiones de disparo a corta distancia, pues en este caso se puede ejecutar con gran precisión. Sin embargo, la posición poco natural del pie limita la fuerza del disparo.

Los tiros a puerta de larga distancia se realizan sobre todo con el empeine, pues esta técnica permite que el balón coja grandes velocidades. Este modo de disparar se utiliza como hemos dicho desde larga distancia, en lanzamientos de falta e, incluso, en la ejecución de penaltis.

En la media distancia se utiliza muy frecuentemente el disparo a puerta con el empeine interior. Con esta técnica el balón se juega relativamente desplazado de su centro, por lo que el disparo puede ejecutarse con efecto. Mediante esta forma de disparo puede superarse al adversario, por lo que se utiliza a menudo en la ejecución de tiros de falta con barrera.

Si el jugador no se encuentra en una posición óptima para el disparo (de frente a la portería, con la puerta y el contrario en su campo de visión directo), no deja por ello de tener a su disposición un buen número de variantes de disparos a puerta. Si el jugador se sitúa de espaldas a sus adversarios puede jugar el balón hacia la portería contraria con el talón o mediante una chilena. Si está colocado de lado frente a la portería contraria y el balón viene volando a la altura de su rodilla o de su cadera, puede utilizar la técnica de la volea.

Variantes de disparos

- Disparo a bote pronto

El balón que bota recibe el golpeo poco después del contacto con el suelo, con el empeine (total o exterior), en el caso del disparo fuerte, o con el empeine interior, en el caso del pase suave. El pie de disparo tiene que fijarse mediante el estiramiento (en el disparo con el empeine) o mediante la torsión (en el disparo con el empeine interior).

- Disparo con efecto

El balón recibe el impacto de la cara interior o exterior del empeine fuera de su centro. El golpe excéntrico da al balón el efecto deseado.

- Disparo de volea

El balón se golpea a la altura de la cadera de volea con el empeine total. El pie de golpeo está estirado y, por tanto, fijo. La pierna se desplaza con un gran impulso hacia delante después del impacto.

- Disparo de chilena

De espaldas a la portería, el balón se golpea con el empeine mientras se cae hacia atrás. El salto viene producido por la pierna de golpeo. Después del salto, las dos piernas realizan un movimiento de tijera, con el fin de facilitar el disparo. Una forma de facilitar el movimiento se logra saltando con la pierna de apoyo, lo que supone en principio la eliminación del movimiento de tijera.

taxofit

Formas de entrenamiento del tiro a portería

a) Carrera sobre barras con tiro a portería

Equipamiento:

Ocho barras, tres conos, un balón por jugador, una portería.

Preparación:

A una distancia de 15 metros de la portería y con una separación de 3 metros, se colocan dos series de barras atravesadas (con un espacio de medio metro entre cada una de ellas). A un lado de las dos series y equidistante de ambas se coloca un cono. Y otros dos conos se sitúan como marca de comienzo y de terminación a los dos lados del recorrido de las barras. Los jugadores se sitúan en el cono de salida.

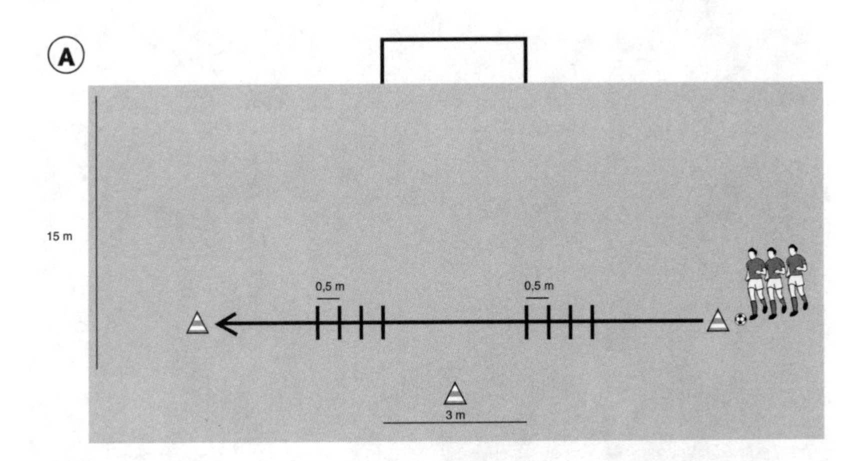

Desarrollo:

Ejercicios sin balón
Los jugadores van saliendo uno detrás del otro corriendo sobre las barras, comenzando su carrera el siguiente jugador cuando el anterior se encuentra en el espacio central entre los dos grupos de barras.

Ejercicio 1:
Los jugadores corren saltando por encima de las barras, teniendo que tocar el suelo con uno de los pies cada vez que saltan entre cada barra.

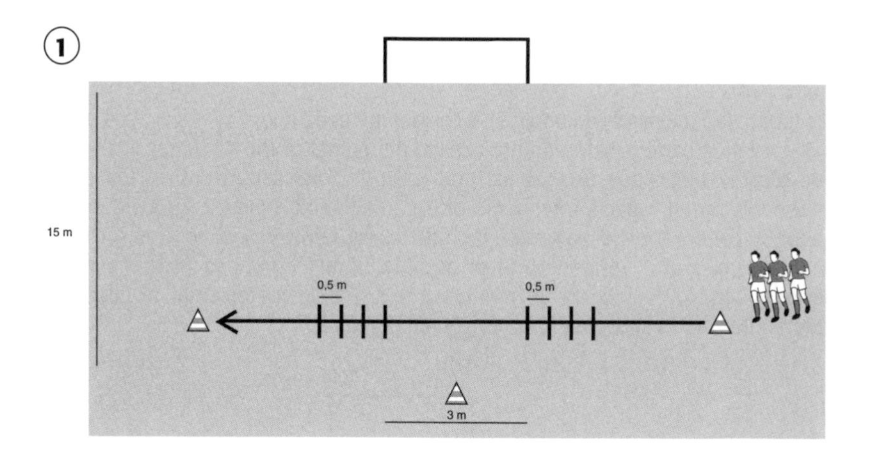

Ejercicio 2:
Como en el ejercicio anterior, excepto que, en este caso, los jugadores realizan entre los dos grupos de barras un ejercicio adicional (giro, imitación de un lanzamiento de cabeza, voltereta), reanudando la carrera sobre el segundo grupo de barras.

Ejercicio 3:
Como en el ejercicio 1, pero ahora los jugadores rodean el cono que se ha situado enfrente de la portería y enmedio de los dos grupos de barras, para finalizar la carrera después de superar el segundo grupo de barras.

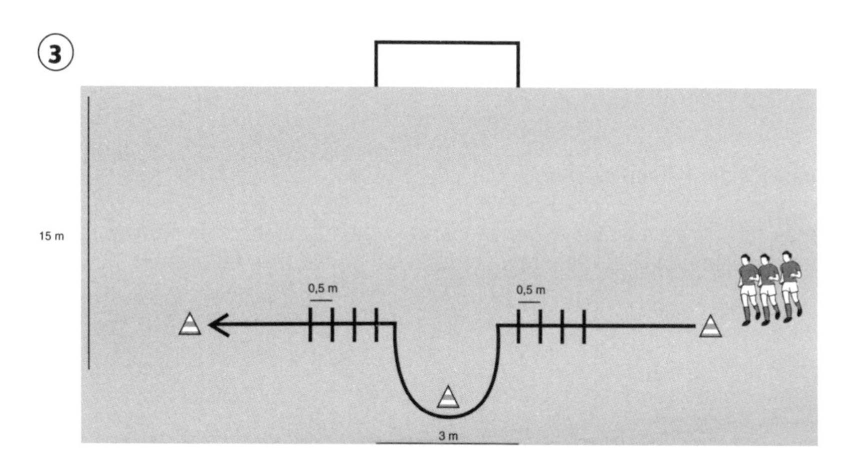

Ejercicios con balón

Ejercicio 4:
Los jugadores colocan el balón en el espacio que queda entre los dos grupos de barras. Inician la carrera, saltando por encima del primer grupo de barras y teniendo que tocar el suelo con uno de los pies cada vez que saltan entre cada barra. Cuando llegan al espacio intermedio disparan el balón a puerta. Finalmente reanudan su carrera sobre el segundo grupo de barras, teniendo que tocar el suelo con uno de los pies cada vez que saltan entre cada barra. Después se inicia el ejercicio desde el lado contrario, de tal manera que se tiene que ejecutar el disparo a puerta alternando el uso de los pies izquierdo y derecho.

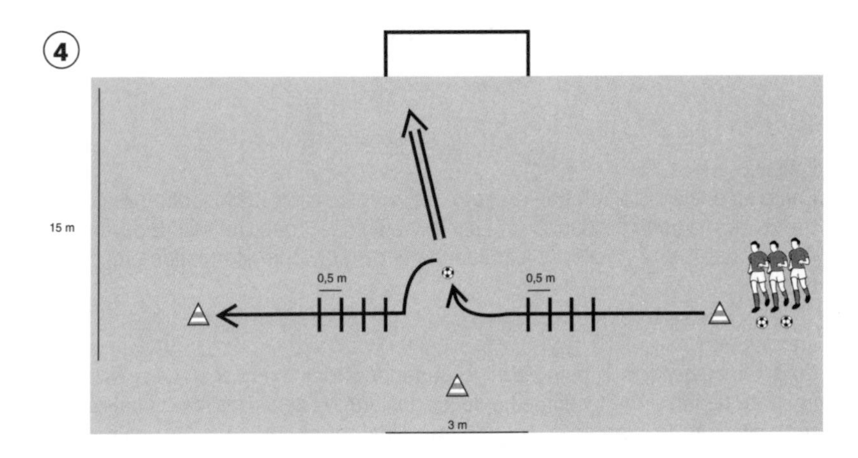

Ejercicio 5:
Como en el ejercicio anterior, pero ahora los jugadores cogen el balón con las manos al llegar al espacio intermedio y disparan sobre la portería como si fuera un saque de puerta.

Consejos para el entrenador:

Antes del disparo a puerta debe cambiarse la orientación hacia la portería, lo que supone separar la vista durante un instante de las barras y del balón.

La técnica

b) Conducción y tiro

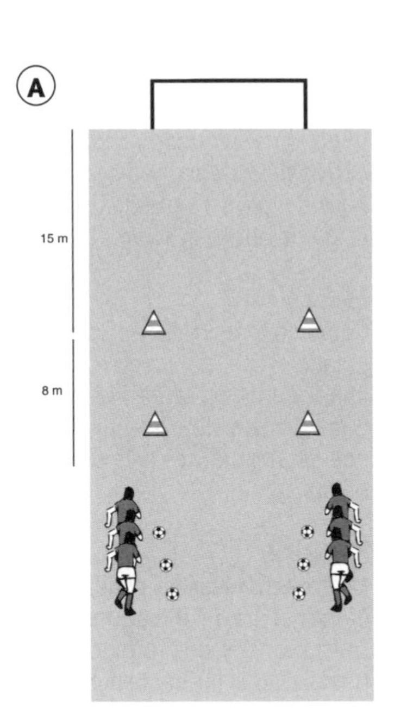

Equipamiento:

Cuatro conos, un balón por jugador, una portería.

Preparación:

A una distancia de 15 metros de la portería se forma un cuadrado utilizando cuatro conos, con una separación de 8 metros entre sí. Los jugadores se sitúan en dos grupos de igual número por detrás de los conos más alejados de la portería.

Desarrollo:

Los jugadores parten del cono de salida conduciendo hasta el segundo cono, desde el cual disparan a puerta. Después del disparo, cada uno de ellos se coloca en el cono contrario de salida.

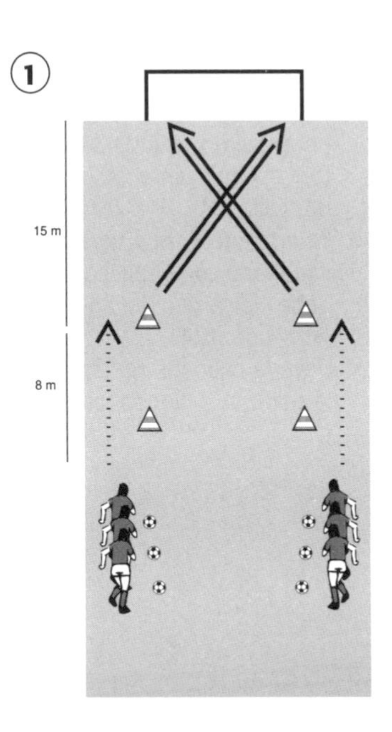

Ejercicio 1:
Los jugadores conducen en línea recta desde el cono de salida hasta el segundo cono, desde el cual disparan a puerta.

Ejercicio 2:
Antes de disparar a puerta, los jugadores se colocan el balón para el disparo y realizan un ejercicio adicional (giro, imitación de un lanzamiento de cabeza, voltereta).

Ejercicio 3:
Los jugadores se colocan el balón en dirección al segundo cono, salen corriendo detrás del esférico y llevan a cabo una voltereta lateral antes de llegar hasta la misma. Finalizan el ejercicio tratando de disparar a puerta sin levantarse del suelo.

Ejercicio 4:
Los jugadores lanzan el balón con la mano en dirección al segundo cono, se lanzan a correr detrás del esférico y disparan a puerta después del primer bote del balón, sin que éste caiga de nuevo al suelo.

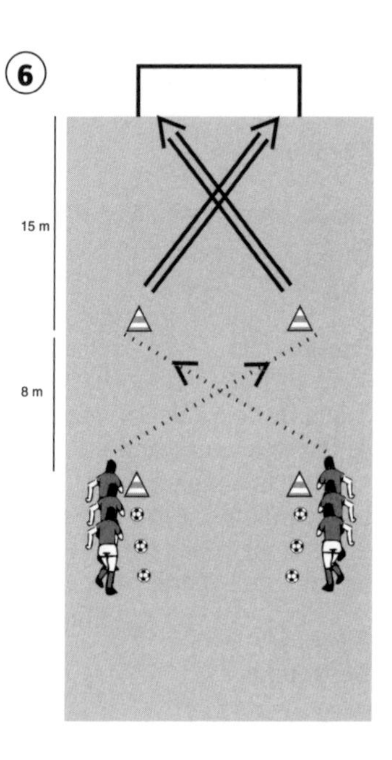

Ejercicio 5:
Como en el ejercicio anterior, pero ahora los jugadores realizan un ejercicio adicional (giro, imitación de un lanzamiento de cabeza, voltereta) antes de disparar a puerta, disparo que se efectúa después del primer bote del balón.

Ejercicio 6:
La trayectoria de la conducción discurre en diagonal hasta el segundo cono del lado contrario. Los dos jugadores comienzan su conducción al mismo tiempo, de tal modo que se cruzan a mitad de recorrido y tienen que realizar un giro antes de disparar a puerta.

Consejos para el entrenador:

- En todos los ejercicios puede incluirse la presencia de un portero. Las acciones del portero sirven para el desarrollo de la coordinación del jugador en cuestión (por ejemplo, en el caso de dos disparos simultáneos se desarrolla la capacidad de reacción).
- Para favorecer el aprendizaje en el uso de los dos pies, debe dispararse desde cada lado con el pie correspondiente.
- Debe indicarse el punto concreto de destino del balón (palo largo/corto, disparo raso/por alto).
- Llevar a cabo los ejercicios como una competición: a ver quién alcanza primero la portería, saliendo los dos jugadores al mismo tiempo de su cono.

c) Carrera con conos de colores y tiro a portería

Ⓐ

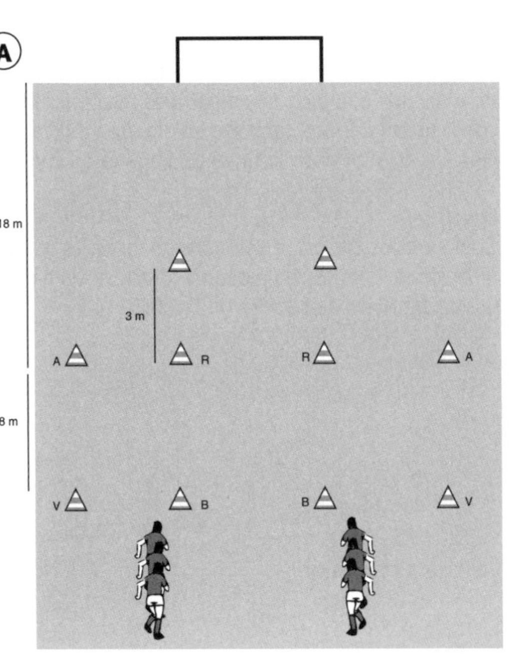

Equipamiento:

Ocho conos de cuatro colores diferentes, otros dos conos, un balón por jugador, una portería.

Preparación:

A una distancia de 18 metros de la portería se forman dos cuadrados de igual tamaño utilizando cuatro conos, con una separación de 8 metros entre sí. Los dos cuadrados están formados por conos de cuatro colores distintos. Con otros dos conos se marca una línea de llegada 3 metros por delante de los cuadrados. Los jugadores, divididos en dos grupos iguales, se sitúan por detrás de los conos más alejados de la portería.

①

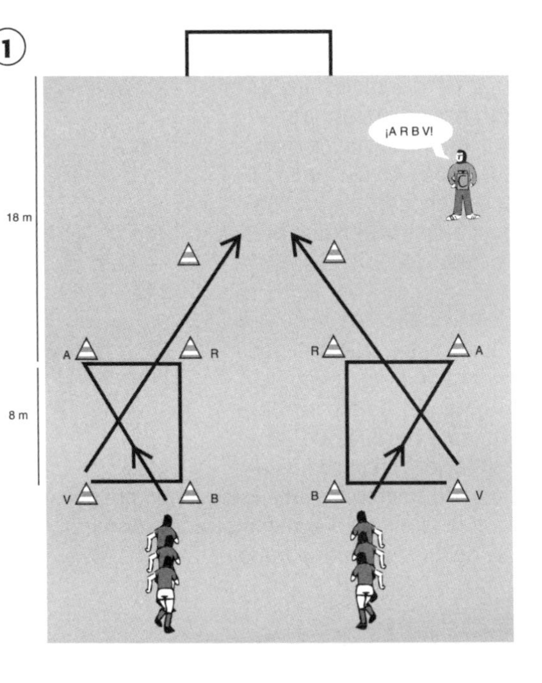

Desarrollo:

Ejercicios sin balón

Ejercicio 1:
El entrenador dice en alto una combinación de colores (por ejemplo, amarillo-rojo-blanco-verde). Los jugadores corren dentro del cuadrado y tocan los conos de colores con la mano en el orden indicado por el entrenador. Terminan el ejercicio traspasando la línea de llegada en carrera.

Ejercicio 2:
Junto a la indicación de la combinación de colores, el entrenador añade de inmediato la voz "cambio". Los jugadores recorren entonces el otro cuadrado, tocan los conos de colores con la mano en el orden indicado por el entrenador y terminan el ejercicio traspasando la línea de llegada en carrera.

Ejercicio 3:
Como los dos ejercicios anteriores, pero antes de que el entrenador indique la combinación de colores, los jugadores realizan un ejercicio adicional (giro, imitación de un lanzamiento de cabeza, voltereta).

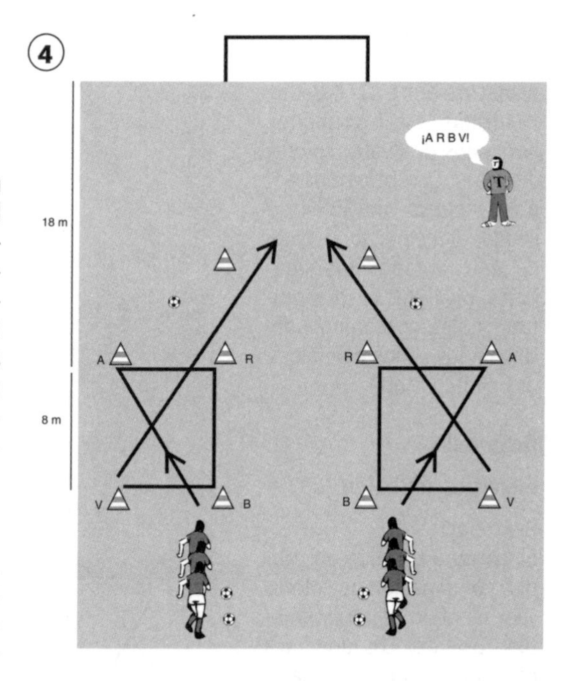

Ejercicios con balón

Ejercicio 4:
Los jugadores colocan un balón por delante del cuadrado. Después de recibir la voz con la combinación de colores, los jugadores corren por el cuadrado, tocan los conos de colores con la mano en el orden indicado y disparan a puerta el balón preparado.

Ejercicio 5:
Como el ejercicio anterior, pero ahora los jugadores sujetan el balón con las manos. Después de recibir la voz con la combinación de colores, los jugadores corren por el cuadrado, tocan los conos de colores con la mano en el orden indicado y disparan a puerta el balón como si se tratase de un saque del portero.

Consejos para el entrenador:

- En todos los ejercicios puede incluirse la presencia de un portero. Las acciones del portero sirven para el desarrollo de la coordinación del jugador en cuestión (por ejemplo, en el caso de dos disparos simultáneos se desarrolla la capacidad de reacción).
- Según el nivel de rendimiento alcanzado y para facilitar o dificultar los ejercicios, puede disminuirse o aumentarse respectivamente el número de colores.
- Llevar a cabo los ejercicios como una competición: a ver quién traspasa primero la línea de llegada, o quién alcanza primero la portería.

Vitamine und
CITROËN

4. EL CONTROL DEL BALÓN

La constatación de que la técnica dominante en el fútbol moderno pasa cada vez más por el juego combinado rápido y seguro, lleva inexorablemente a la consecuencia de que el control del balón haya aumentado su importancia en el mismo grado. En la medida en que el balón no sea pasado en cuanto se recibe, es necesario el control del esférico cada vez que éste llega a los pies procedente de un pase. La técnica específica del fútbol del control del balón se compone de la recepción y conducción posterior del mismo.

El control del balón es una de las técnicas elementales del fútbol. Tiene lugar en todas las posiciones del juego. El portero tiene que controlar pases fallidos del contrario o pases retrasados de los propios compañeros; los defensas recogen pases del contrario o participan en la construcción del juego mediante combinaciones de pases. Los jugadores de medio campo y los delanteros recogen y controlan el balón bajo una presión mayor del contrario, tratando de construir una jugada de ataque. Para la recepción del balón, los jugadores tienen a su disposición un buen número de técnicas: los pases rasos o altos pueden ser controlados con el pie (planta, interior/exterior, empeine), el muslo, el pecho o la cabeza.

Instrucciones para la realización

- Al ir a recibir el balón, avanzar en dirección al esférico y en el momento del control ceder ligeramente al impulso del mismo.
- En el caso de que se vaya a continuar con el balón, no debe cederse a su impulso sino darse un autopase en la nueva dirección de juego. Con ello se aleja el balón de la zona del terreno de juego en que se encuentra el adversario.
- En la recepción y posterior conducción del balón, puede introducirse adicionalmente una finta.

Formas de entrenamiento del control del balón

a) Control del balón y carrera sobre barras

Equipamiento:

Seis barras, dos conos, un balón por jugador.

Preparación:

Se colocan dos conos a una distancia de 15 metros uno del otro. A mitad de recorrido entre ambos se sitúan seis barras atravesadas (con un espacio de medio metro entre cada una de ellas). Los jugadores, divididos en dos grupos iguales, se sitúan junto a los conos de salida.

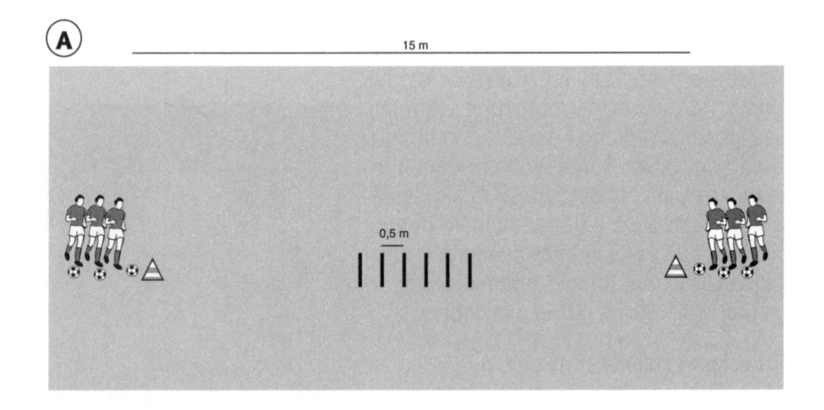

Desarrollo:

Ejercicio 1:
El primer jugador situado en uno de los conos de salida inicia la carrera, saltando sin balón por encima de las barras. En cuanto las ha superado, recibe el esférico del jugador que se encuentra en el cono contrario. Tiene que controlar el balón y ponerse el último en la fila situada junto a este cono. El jugador que ha dado el pase inicia la carrera en dirección al primer cono, pasando por encima de las barras y dando lugar al mismo proceso en ese lado.

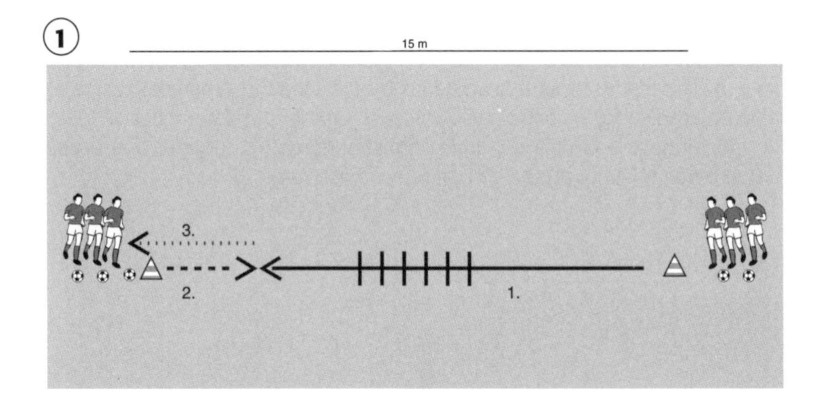

Ejercicio 2:
Como en el ejercicio anterior, pero ahora salen los dos jugadores a la vez desde cada cono, con lo cual se suceden dos ejercicios de manera paralela.

Ejercicio 3:
Antes de que el primer jugador situado en uno de los conos inicie su carrera sobre las barras, envía un pase hasta el jugador situado en el cono contrario. Éste controla el balón y lo envía también de vuelta al primer cono. Después de cada pase largo comienzan la carrera sobre las barras los jugadores que lo han ejecutado.

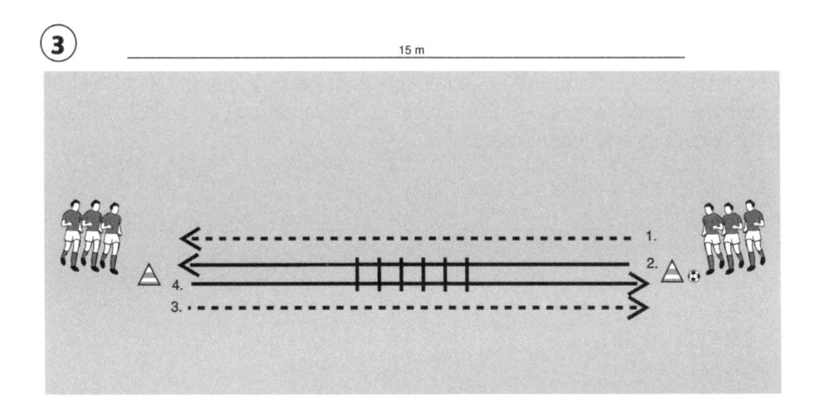

Ejercicio 4:
Como en el ejercicio anterior, pero ahora salen los dos jugadores a la vez desde cada cono, con lo cual se suceden dos ejercicios de manera paralela.

Ejercicio 5:
El primer jugador situado en uno de los conos manda el balón hasta el cono contrario e inicia después su carrera sobre las barras. Una vez superadas recibe el balón con un pase corto, lo controla y lo vuelve a jugar al compañero que se lo ha enviado, poniéndose a la cola del cono correspondiente. El jugador que acaba de recibir el balón inicia la acción con un nuevo pase largo.

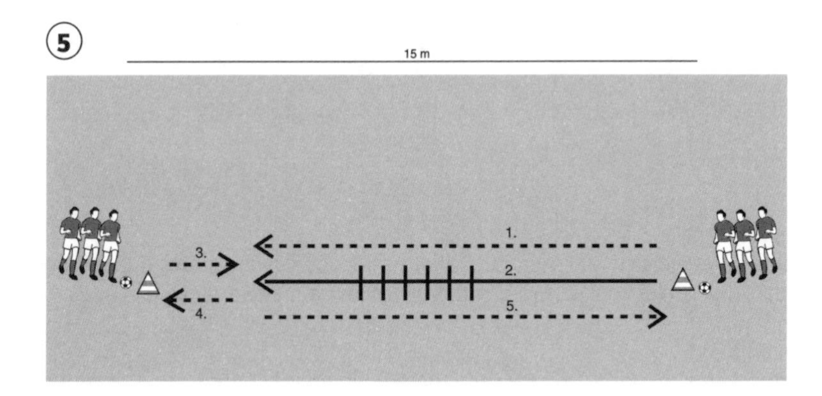

Ejercicio 6:
Como en el ejercicio anterior, pero la acción se inicia en los dos conos con dos balones en juego al mismo tiempo (sólo para un nivel de rendimiento superior).

Ejercicio 7:
Los primeros jugadores situados en cada cono empiezan simultáneamente. Ambos regatean las barras en el sentido de las agujas del reloj y juegan después el balón al siguiente jugador situado junto al cono correspondiente, el cual controla el esférico y comienza a su vez el regate.

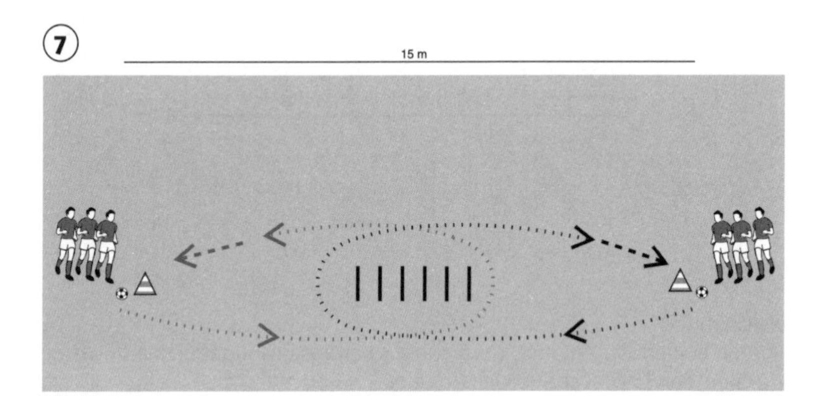

Ejercicio 8:
Como en todos los ejercicios anteriores, pero ahora en vez de realizar pases rasos se envían balones altos (lanzamiento, pase alto con las manos o desde el suelo).

Consejos para el entrenador:

- Se pueden lograr más variantes de ejercicios modificando la carrera sobre las barras (carrera de espaldas, lateral, o en zigzag), colocando las barras a diferentes distancias o introduciendo ejercicios adicionales en la salida (giro, voltereta, salto).

b) Control del balón y conducción

Equipamiento:

Cinco conos, cuatro barras, un balón.

Preparación:

Delante de un cono de salida se sitúa, a dos metros de distancia, un recorrido de eslalon con otros cuatro conos (separados entre sí metro y medio). Tres metros más allá de los conos se colocan atravesadas cuatro barras (con una separación de medio metro entre ellas). El entrenador se sitúa lateralmente entre los conos y las barras. Los jugadores se colocan en el cono de salida, teniendo el balón el que se sitúa en primer lugar.

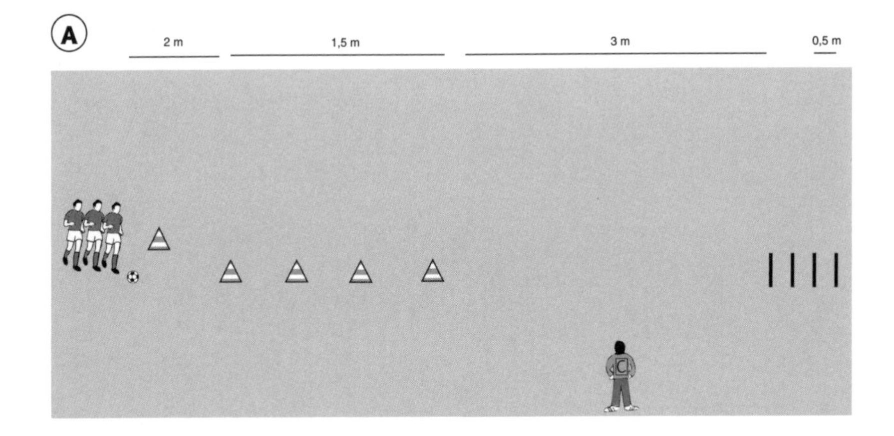

Desarrollo:

Ejercicio 1:
El primer jugador conduce con el balón en zigzag por los conos. Al llegar al último pasa el balón al entrenador e inicia una carrera desde el final de las barras, saltando por encima de las mismas y teniendo que tocar el suelo con uno de los pies cada vez que salta entre cada barra. Después de superar las barras tiene que controlar el balón que le devuelve el entrenador, pasándolo al primer jugador situado junto al cono de salida. Éste controla el balón e inicia el ejercicio.

Ejercicio 2:
Como en el ejercicio anterior, pero ahora el entrenador varía la forma de dar el pase (raso, a media altura y alto).

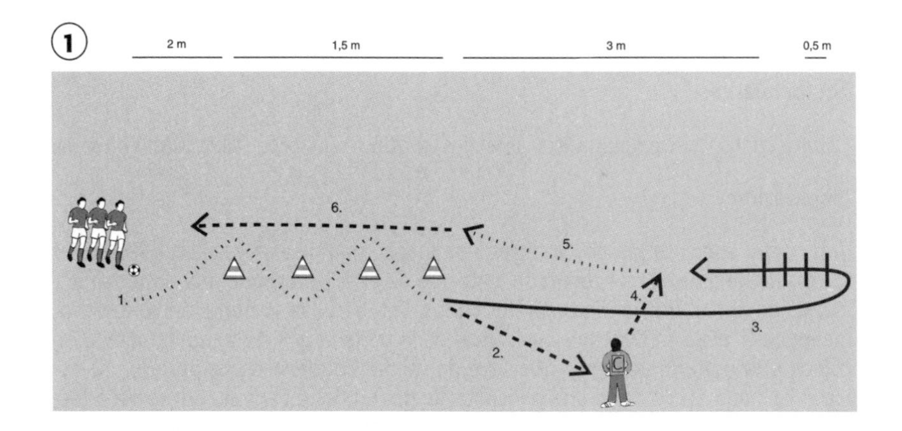

Ejercicio 3:
Como en el ejercicio 1, pero ahora el jugador tiene que realizar un ejercicio adicional (giro, voltereta, tiro de cabeza) antes de la carrera sobre las barras y/o antes del control del balón.

Ejercicio 4:
Como el ejercicio 1, pero el pase que se da ahora en dirección al cono de salida equivale al saque del portero, de tal manera que antes de la conducción hay que realizar un control de un balón alto.

Consejos para el entrenador:

- En lugar del entrenador también puede enviar o pasar el balón otro jugador. En este caso debe prestarse atención a la correcta ejecución del envío (evitar envíos sorpresivos).

c) Control del balón en un triángulo de tres porterías

Equipamiento:

Catorce conos, cuatro neumáticos amarillos, cuatro neumáticos rojos, cuatro balones.

Preparación:

Con cuatro conos se marca un terreno de juego cuadrado, cuyos lados tienen 15 metros de longitud. En el centro de cada uno de ellos se dispone una portería de 2 metros de ancho utilizando otros dos conos. Tres de ellas se numeran correlativamente del 1 al 3. A 10 metros, por detrás de la portería que no se ha numerado, se coloca otra portería de conos que sirve de salida. Entre estas dos porterías se colocan los neumáticos de colores alineados de dos en dos. El entrenador se sitúa fuera del terreno de juego. Tres jugadores se colocan con un balón cada uno en las porterías numeradas, mientras que el resto se alinean en los conos de salida que están delante de los neumáticos.

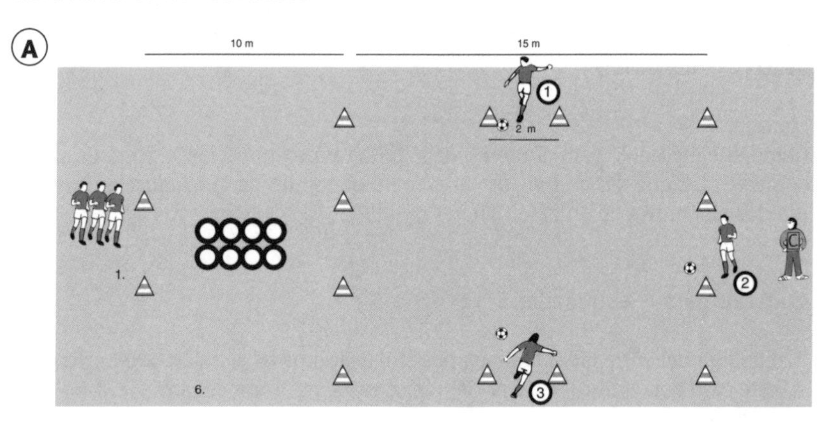

Desarrollo:

Ejercicio 1:
El primer jugador echa a correr por encima de los neumáticos, teniendo que pisar dentro de cada uno de ellos. Después de que el jugador ha sobrepasado la portería sin numerar, el entrenador dice en alto un número del 1 al 3. El jugador se orienta a la portería señalada y recibe un balón alto lanzado por el jugador que se encuentra en la misma. Una vez que ha controlado el balón, conduce con él hasta llegar a la portería, mientras que el que le ha pasado el balón se coloca en la fila. En el momento en el que el entrenador dice en alto el número, el siguiente jugador ya empieza el ejercicio.

Ejercicio 2:
Como el ejercicio anterior, pero en este caso el entrenador no dice en alto el número sino que señala la portería con la mano.

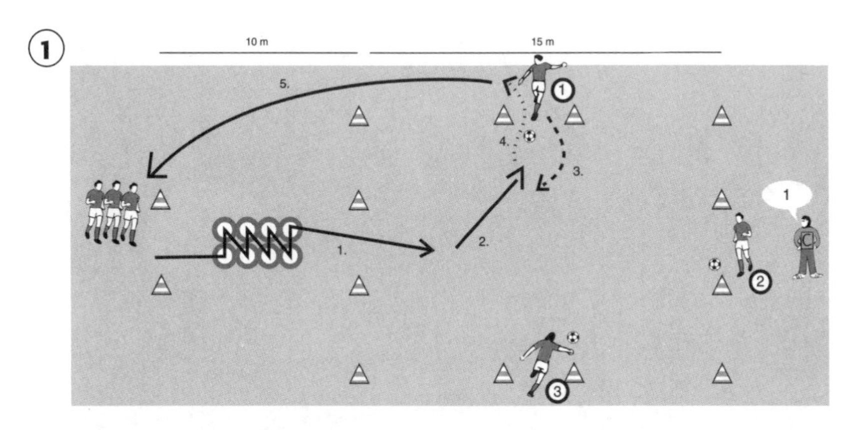

Ejercicio 3:
Como en el ejercicio 1, pero ahora el entrenador dice en alto dos o tres números o una combinación (por ejemplo, 1-3-2-1). En las primeras porterías el jugador devuelve el balón con un pase raso después de controlarlo. Cuando le toca el turno a la última portería nombrada, conduce hasta llegar y el jugador que la ocupaba se dirige a la fila.

Ejercicio 4:
Como en el ejercicio 1, pero en este caso los jugadores tienen que correr por los neumáticos en el ritmo amarillo-rojo-amarillo-rojo, o a la inversa.

Ejercicio 5:
Como en el ejercicio 1, pero en este caso el primer jugador situado en el cono de salida lleva también una pelota. El jugador conduce con el balón rodeando las ruedas, pasa el esférico al siguiente y comienza la carrera sobre los neumáticos para continuar el ejercicio del control de balón en las porterías numeradas.

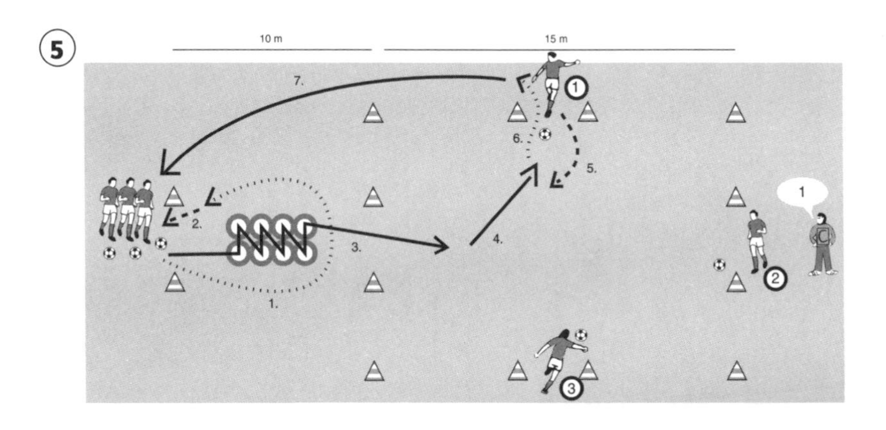

uhlsport

5. EL JUEGO DE CABEZA

El remate de cabeza es un movimiento específico del fútbol que se aplica para jugar balones aéreos. Puede ser utilizado como técnica de pase, de remate a gol o como técnica defensiva.

La idea de un juego basado en combinaciones rápidas y seguras del balón supone en principio el intercambio raso en el juego. Sin embargo, se constata que cada vez se refuerza más la defensa frente al juego de ataque, lo que aumenta la utilidad de pases jugados por alto. Esto hace necesario entrenar el juego de cabeza como técnica de ataque y de defensa.

Como situaciones típicas en las que se recurre al juego de cabeza puede citarse, por ejemplo, hacer avanzar el balón enviado por el saque de puerta, el saque de esquina, el golpe franco, un pase o un saque de banda. Se utiliza como técnica de remate a puerta después de saques de esquina, pases laterales o faltas lanzadas desde las bandas. El juego de cabeza como técnica de defensa puede ser utilizado en todas las posiciones y situaciones de juego, en las que los contrarios juegan el balón por alto, tanto si se trata de un pase como de un remate a gol. El remate de cabeza puede ser una técnica a utilizar incluso para el portero, como cuando se utiliza como técnica defensiva fuera del área de castigo para repeler balones por alto.

Posibles variaciones del juego de cabeza

- Desde una posición estática:
  Posición en paralelo o de zancada, en cuyo caso se golpea el balón con la frente después del impulso del cuerpo tras una flexión semejante al arco.

- Girando desde una posición estática:
  La ejecución del movimiento es similar a la anterior, sólo que, en este caso, en el movimiento de impulso hacia delante, el tronco se gira en la dirección del impacto.

- Con un salto con las dos piernas (a partir de una posición estática):
  Después de un salto con las dos piernas, el balón se juega de cabeza como cuando se ejecuta desde una posición estática, en este caso en el punto más elevado del movimiento del salto.

- Mediante un salto con una pierna (en carrera):
  La ejecución del movimiento es similar al remate de cabeza saltando con las dos piernas, pero ahora hay que integrar la carrera en el conjunto del movimiento.

- Mediante un salto con giro:
  Después del salto se gira el cuerpo en la dirección del impacto.

- Con un salto en plancha, como un «remate en el aire»:
  El salto hacia el balón se lleva a cabo con el tronco inclinado hacia delante (en plancha).

Formas de entrenamiento del juego de cabeza

a) Remates de cabeza (competición sencilla)

Equipamiento:

Dos porterías formadas con conos, un balón por cada pareja de jugadores.

Preparación:

Se colocan dos porterías formadas mediante conos (con una anchura de 2,5 metros) a una distancia de 3 metros una de la otra. Dos jugadores se colocan frente a frente dentro de las porterías, utilizando un balón para los dos.

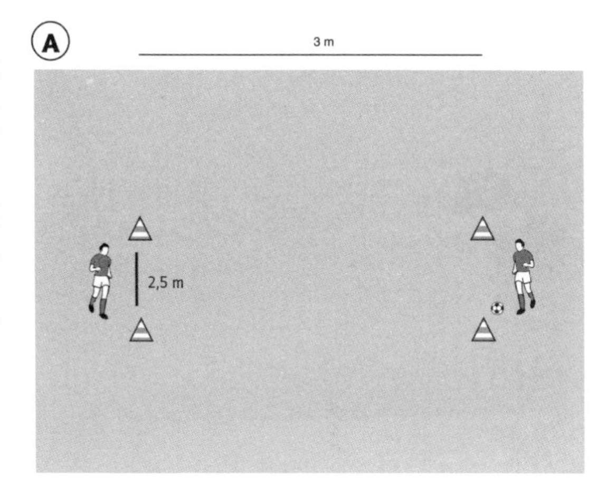

Desarrollo:

Ejercicio 1:
Uno de los jugadores se pasa el balón a sí mismo y trata de acertar en la portería contraria. El jugador situado en ésta actúa como portero y tiene que rechazar el balón.

Ejercicio 2:
Como en el ejercicio anterior, pero ahora los jugadores ya no se hacen un autopase, sino que golpean de cabeza a la puerta contraria después del envío del compañero.

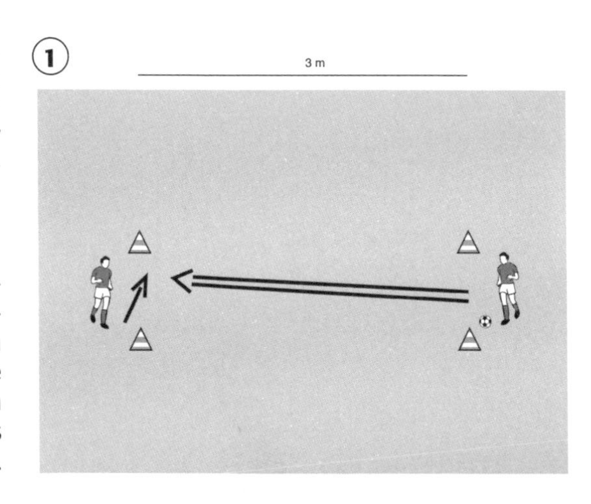

Ejercicio 3:
Como en el ejercicio 1, pero ahora el entrenador introduce la posibilidad del «cambio». Cuando da la orden de cambiar, los jugadores tienen que desplazarse a la portería del contrario y continuar jugando sin interrupción.

Consejos para el entrenador:

- No debe excederse el número de remates de cabeza seguidos, introduciendo las pausas necesarias.
- En el entrenamiento básico deben utilizarse balones ligeros o de textura blanda.

b) Remates de cabeza en plancha

Equipamiento:

Un cono, una portería de hockey, un balón por jugador.

Preparación:

A 5 metros de una portería de hockey se coloca un cono de salida. El entrenador se sitúa detrás de la portería para lanzar el balón. Los jugadores se colocan detrás del cono de salida con un balón por cada uno de ellos.

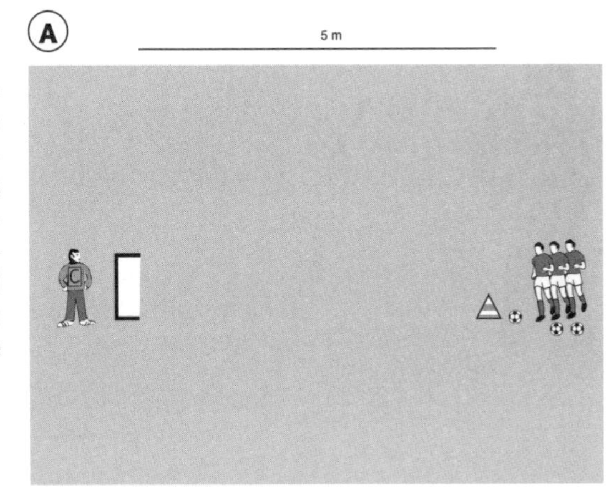

Desarrollo:

Ejercicio 1:
El primer jugador lanza el balón al entrenador. Éste le devuelve para que el jugador remate de cabeza en plancha, tratando de que el balón entre en la portería de hockey.

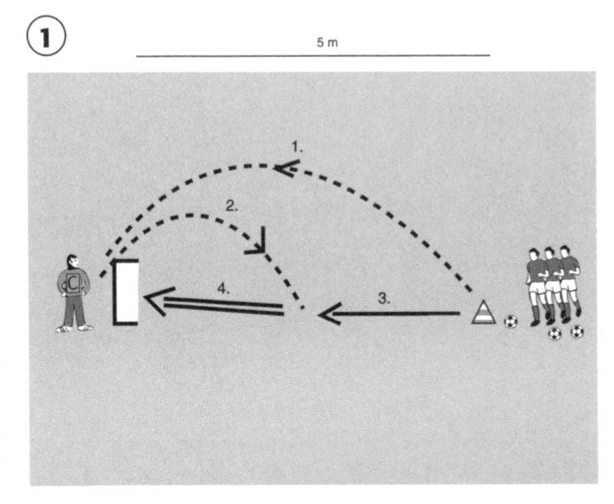

Ejercicio 2:
Como en el ejercicio anterior, pero ahora el jugador tiene que realizar un ejercicio adicional (giro, voltereta) antes del remate.

Ejercicio 3:
Como en el ejercicio 1, pero el jugador tiene que devolver primero el balón al entrenador con un remate de cabeza alto, para rematar definitivamente con un giro y un salto en plancha el balón a gol, cuando lo reciba de nuevo del entrenador.

Consejos para el entrenador:

- No debe excederse el número de remates de cabeza seguidos, introduciendo las pausas necesarias.
- En el entrenamiento básico deben utilizarse balones ligeros o de textura blanda.

c) Remates de cabeza y tiro a portería

Equipamiento:

Ocho barras, seis conos, una portería, un balón por jugador

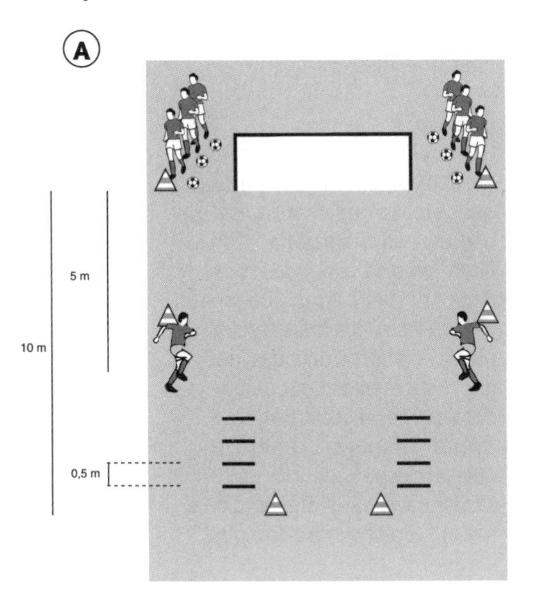

Preparación:

Delante de los dos postes de la portería se colocan a 5 metros de distancia cuatro barras (con una separación de medio metro entre sí). A cada lado de la portería (a 3 metros) se pone un cono de salida. 5 metros por delante se coloca respectivamente otro cono. A 10 metros de la portería y en el centro (anchura 3 metros) se coloca una portería con dos conos. Los jugadores se sitúan con un balón delante del cono de salida. Cada jugador se coloca en uno de los conos situados enfrente.

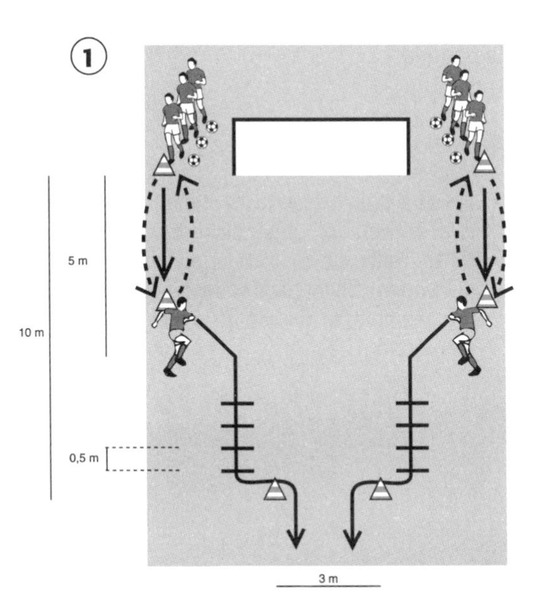

Desarrollo:

Ejercicio 1:
Los jugadores situados delante del cono de salida reciben un balón alto y lo devuelven con un remate preciso. Después inician una carrera sobre las barras y hasta la portería formada con los conos, teniendo que tocar el suelo con uno de los pies cada vez que saltan entre cada barra.

Ejercicio 2:
Como en el ejercicio anterior, pero ahora los jugadores se tumban boca abajo antes del remate de cabeza y tienen que realizar una voltereta completa antes de comenzar el ejercicio.

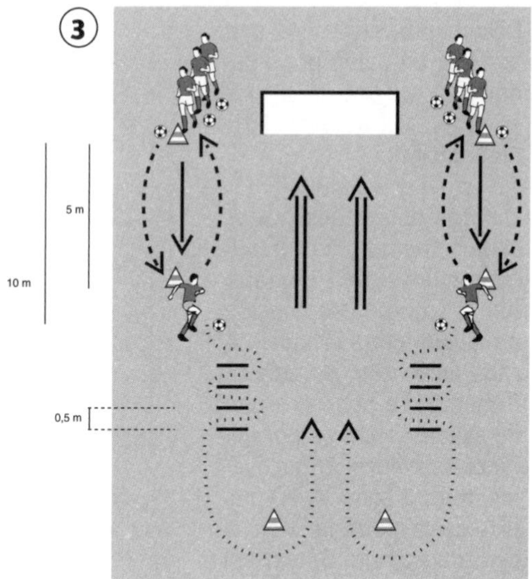

Ejercicio 3:
Como en el ejercicio 1, pero en este caso los jugadores que rematan de cabeza reciben un balón adicional. Con él en los pies conducen alrededor de las barras, rodean uno de los conos finales y disparan a puerta después del giro. Este ejercicio puede ejecutarse como competición (quién dispara primero a puerta) después de una señal (acústica/visual) del entrenador, o alternando los dos lados.

Ejercicio 4:
Como en el ejercicio anterior, pero ahora los jugadores llevan el balón con las manos y, después de un autopase, colocan el balón con un remate de cabeza por delante de las barras. Una vez superadas éstas, disparan a gol después del giro hacia la portería.

Consejos para el entrenador:

- Llevar a cabo los ejercicios como una competición: a ver quién llega primero hasta el entrenador, quién dispara primero a puerta.
- En todos los ejercicios puede incluirse la presencia de un portero. Las acciones del portero sirven para el desarrollo de la coordinación del jugador en cuestión (por ejemplo, en el caso de dos disparos simultáneos se desarrolla la capacidad de reacción).

6. EL JUEGO DEL PORTERO

La posición del portero dentro del terreno de juego tiene una enorme importancia dentro del fútbol. El portero es el único jugador que puede atrapar y jugar el balón con las manos dentro de su área de castigo. Además se trata generalmente del último defensa que puede interceptar los disparos a puerta del contrario, en lo que estriba su tarea principal.

Sin embargo, en ningún caso debe verse al portero como un jugador de cometidos exclusivamente defensivos. Precisamente su posición resulta especialmente apropiada para marcar el ritmo de juego. Valga de ejemplo que tras rechazar un ataque del contrario con las distintas formas de pasar el balón puede determinar la velocidad en la construcción de la nueva jugada de ataque: puede jugar un pase seguro a un defensa, lanzar el balón con sus manos al centro del terreno de juego propio o sacar con el pie en dirección al campo contrario.

Dentro de la materia de las acciones defensivas se incluye recibir y agarrar el balón, lanzarse al suelo, saltar en plancha, saltar hacia arriba (estirada), desviar el balón con las manos o con los puños y el rechace con el pie. Los balones pueden venir hacia el portero en todos estos casos rasos, a media altura, altos, frontales o desde un lateral.

Técnicas básicas de importancia para el juego del portero

- Posición de salida (base)

  Los pies se colocan en paralelo, con una anchura similar a la cadera, descansando el peso del cuerpo sobre la parte anterior de las plantas de los pies. Las rodillas se flexionan, al tiempo que el tronco se inclina hacia delante. Los brazos se estiran verticalmente, doblando los codos en un ángulo de 90° y situando las palmas de las manos una frente a otra. La mirada se dirige hacia el campo de juego.

- Estirada/desvío

  En el salto se diferencia entre el que se impulsa con los dos pies (desde una posición estática) y el que se impulsa sólo con uno (en movimiento después de uno o más pasos). En el salto dentro del movimiento hacia delante se pisa primero con el talón, mientras que en el caso del movimiento hacia atrás, primero con la parte anterior del pie y después con el talón, y, finalmente, en el movimiento lateral primero con el interior (en una zancada con las piernas abiertas) o con el exterior (en una zancada con las piernas cruzadas) y después con los talones y los dedos de los pies.

- Atrapar el balón

  Se diferencia entre atrapar balones procedentes de «disparos rasos», de «balones altos» o de «balones de media altura». En todas las técnicas importa estirar los brazos/manos en dirección al balón, llevando éste hacia el pecho en cuanto se ha agarrado.

- Recoger el balón

Se diferencia entre las siguientes formas: «recogida de balones que vienen de frente o desde un lateral», «recogida y salto hacia delante» o «recogida de balones rasos o a media altura, en los que se salta lateralmente hacia arriba o hacia abajo». En todas las técnicas de recogida del balón debe llevarse el cuerpo por detrás del esférico y en el momento del contacto con éste realizar un movimiento de acompañamiento de los brazos en dirección hacia el balón.

- Desviar el balón

El portero tiene que intentar lo más rápidamente posible que la mano que está más próxima al balón quede por detrás del mismo.

- Despejar el balón con los puños

  Se debe despejar el balón con uno o los dos puños estirando los brazos y doblando el tronco.

- Lanzarse al suelo

  Entre las técnicas del lanzamiento en plancha y de la caída se distingue entre «rodar lateralmente», «caer hacia atrás», «lanzarse en plancha o caer hacia delante, lateralmente o hacia atrás». En todas las técnicas de la caída y del lanzamiento en plancha debe avanzarse hacia el balón y asegurar el control del mismo llevándolo al pecho.

- Lanzamiento a los pies del contrario

  La mirada debe orientarse al balón y el portero debe lanzarse sobre el mismo.

- Parada de balones ante un contrario

  El portero tiene que tener sus brazos por encima del contrario, alcanzando el balón de esta manera. Cuando esté ante un contrario, el portero tiene que utilizar su cuerpo como ayuda (levantando la rodilla de la pierna más próxima al contrario), sin quebrantar las reglas de juego.

- Habilidades técnicas del jugador

  Debe entrenarse fundamentalmente el control del balón, el juego de pase, de cabeza y el tackling (ver el entrenamiento de los jugadores de campo).

- Construcción del ataque

  En esta faceta el portero debe dominar el lanzamiento (rodando, con impulso lateral y desde arriba), el despeje (de volea o a bote pronto) y el saque de puerta.

Formas de entrenamiento del juego del portero

a) Posición de salida

Equipamiento:

Siete conos, un balón por jugador.

Preparación:

A 2 metros por delante de un cono de salida se dispone un recorrido en eslalon con cuatro conos (separando los conos a metro y medio entre sí). 1 metro por detrás del recorrido se dispone una portería formada con dos conos (4 metros de largo). Los porteros se sitúan con un balón en el cono de salida, mientras que el entrenador se sitúa detrás de la portería formada con los conos.

Desarrollo:

Ejercicio 1:
El primer portero envía el balón al entrenador mediante un saque de puerta. Después corre en zigzag por el recorrido de conos. Al final de los conos el portero se coloca lo más rápidamente posible en la portería, adoptando la posición de salida e intentando detener el balón que dispara el entrenador.

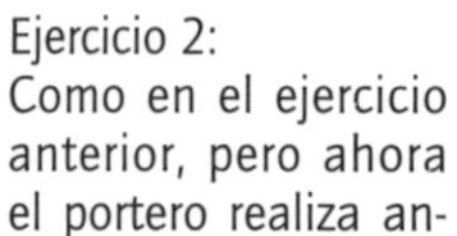

Ejercicio 2:
Como en el ejercicio anterior, pero ahora el portero realiza antes del segundo y del cuarto cono un ejercicio adicional (giro, voltereta, salto).

Ejercicio 3:
Como en el ejercicio 1, pero ahora el portero realiza una rodada de portero después de recorrer los conos en zigzag, levantándose de inmediato y adoptando la posición de salida.

Ejercicio 4:
El portero conduce el recorrido en eslalon (aprendizaje de la técnica del jugador de campo), envía el balón al entrenador con un saque de puerta e intenta, después de una rodada, adoptar rápidamente la posición básica dentro de la portería y tratar de parar el balón que le envía el entrenador.

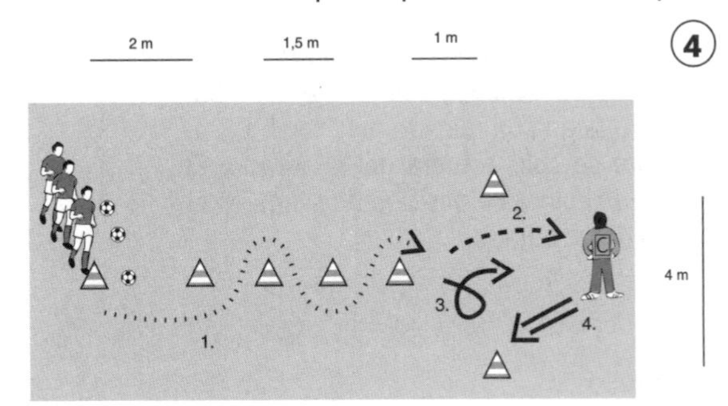

La técnica

b) Paradas a balones rasos

Equipamiento:

Cuatro balones

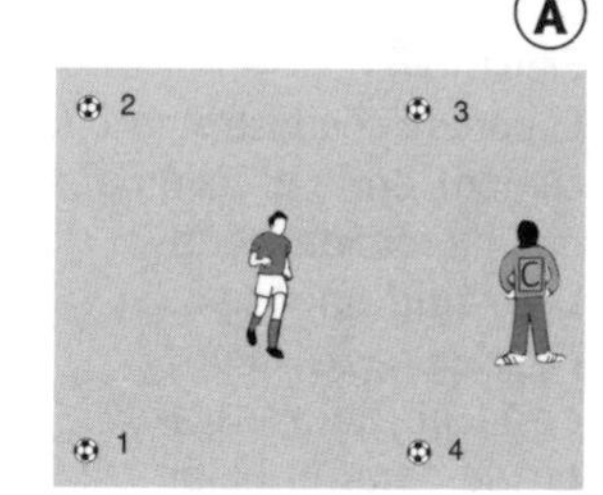

Preparación:

Los cuatro balones se colocan formado un cuadrado (de 4 metros de lado). A cada balón se le asigna un número del 1 al 4. El entrenador se coloca fuera del cuadrado. El portero se coloca en posición de salida en el centro del cuadrado.

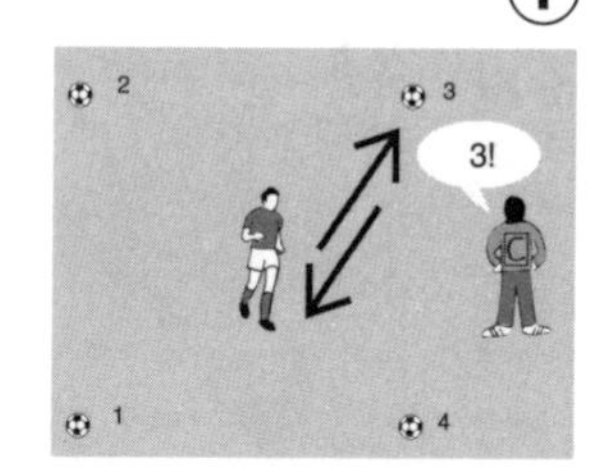

Desarrollo:

Ejercicio 1:
El entrenador dice un número en alto, teniendo el portero que tirarse y asegurar el balón por debajo del cuerpo. Después el portero vuelve a la posición de salida y se lanza tras una nueva voz del entrenador.

Ejercicio 2:
Como el ejercicio anterior, pero ahora el entrenador dice en alto una combinación de números, que equivale a los balones a alcanzar (por ejemplo, «4-3-1-3» significa que deben alcanzarse los balones 4, 3, 1 y 3 mediante lanzamientos consecutivos).

Ejercicio 3:
Como el ejercicio anterior, pero ahora el portero tiene que llevar a cabo un ejercicio adicional (giro, voltereta, salto) antes de cada lanzamiento.

Consejos para el entrenador:

- La numeración de los balones debe ser variada con regularidad, con el fin de que los porteros tengan que reorientarse una y otra vez y adaptarse a nuevas situaciones.

c) Captura de balones por alto o a media altura. Carrera sobre barras

Equipamiento:

Dos conos, cinco barras, una pelota.

Preparación:

Se colocan cinco barras en paralelo (separadas entre sí 1 metro). A izquierda y derecha de las mismas se pone, a 3 metros respectivamente, un cono de salida. El entrenador se sitúa con un balón a una distancia de 5 metros en medio y por delante de las barras. Los porteros se colocan en los conos de salida.

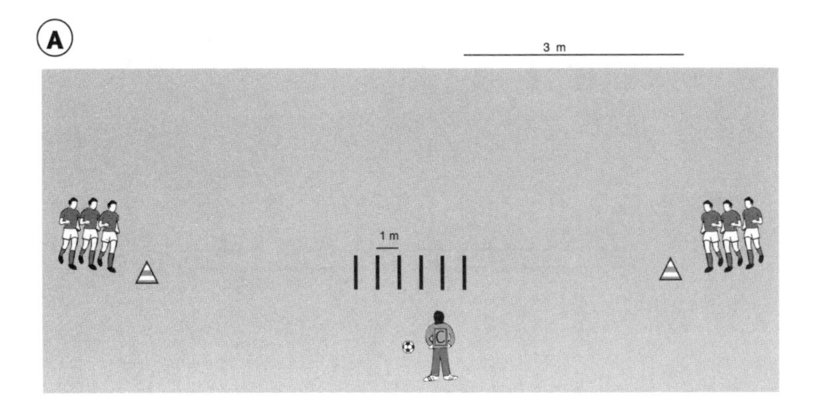

Desarrollo:

Ejercicio 1:
Los primeros porteros situados delante de los conos salen trotando al mismo tiempo en sentido lateral por encima de las barras, teniendo que tocar los dos pies sucesivamente el suelo en cada espacio intermedio entre las barras. El portero que sale del cono situado a la derecha corre por detrás de las barras, mientras que el otro portero corre por delante de las mismas. Los dos porteros mantienen la dirección de su mirada hacia el entrenador.

Ejercicio 2:
Como en el ejercicio anterior, pero en el momento en que ambos porteros se encuentran en medio de las barras, el entrenador lanza el balón a media altura al portero más adelantado. Este portero debe capturar el balón y devolvérselo al entrenador. Si no es capaz de atrapar el balón, debe estar preparado el siguiente portero para pararlo.

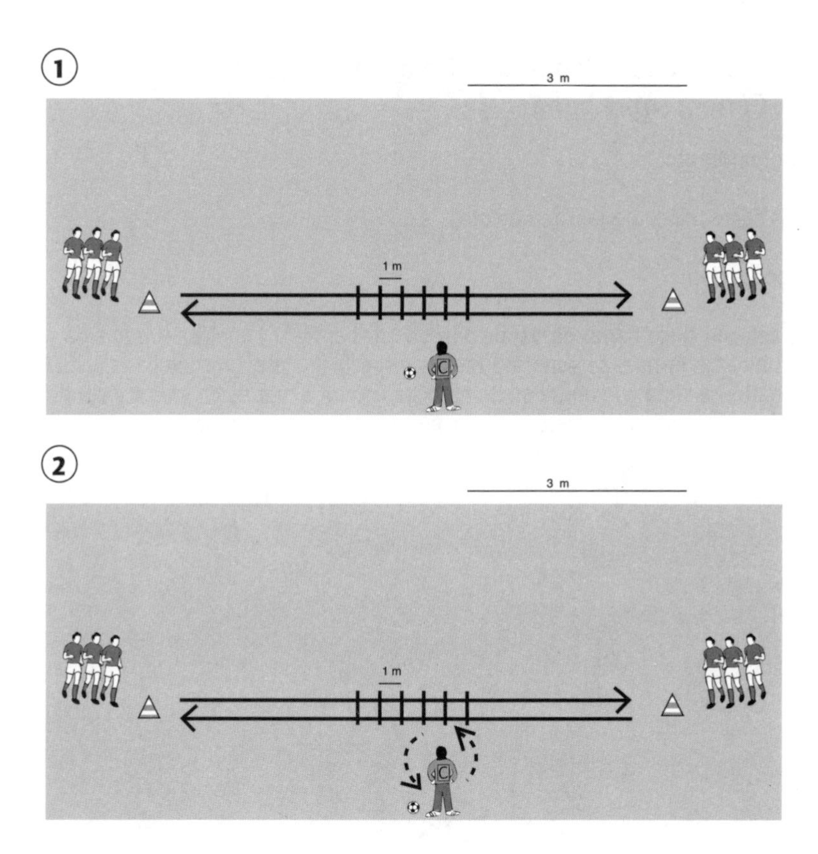

Ejercicio 3:
Como en el ejercicio anterior, pero ahora el entrenador lanza el balón por alto.

Ejercicio 4:
Como en el ejercicio 2, pero ahora los porteros corren de espaldas al entrenador, trotando lateralmente sobre las barras. El entrenador lanza el balón a media altura después de dar una orden, ante la que los porteros reaccionan girando la mirada hacia su entrenador.

Ejercicio 5:
Como en el ejercicio anterior, pero ahora el entrenador lanza el balón por alto.

Ejercicio 6:
Como en el ejercicio 2, pero ahora se varía el recorrido. Los porteros corren sobre las dos primeras barras trotando lateralmente, después deshacen el camino andado de la misma manera, para, finalmente, hacer el recorrido completo con la misma forma de correr. El entrenador envía ahora el balón a media altura en dos ocasiones. La pri-

mera vez el portero más adelantado debe parar el esférico, en el momento en que ha saltado sobre las dos primeras barras, mientras que el entrenador lanza la segunda pelota cuando los dos porteros se encuentran a la mitad del recorrido de las barras.

6

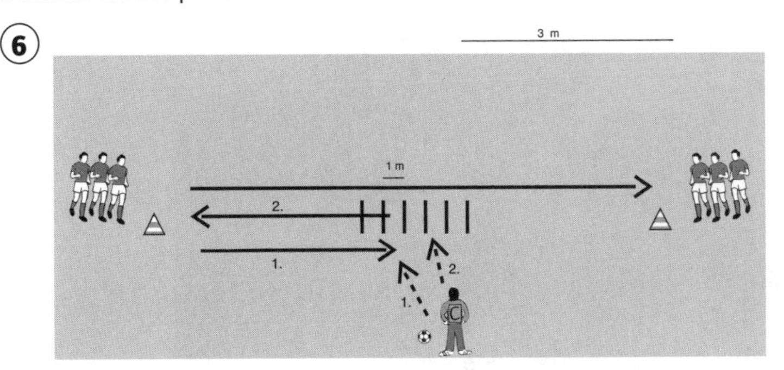

Ejercicio 7:
Como en el ejercicio anterior, pero ahora el entrenador lanza el balón por alto.

Ejercicio 8:
Como en el ejercicio 2, pero con un recorrido rectificado de nuevo. Los porteros corren en zigzag por las barras, manteniendo su mirada siempre puesta en el entrenador. El portero que comienza en el cono de la derecha inicia el recorrido en zigzag por detrás, mientras que el otro empieza por delante, de tal modo que no debería producirse ningún encontronazo. El entrenador lanza el balón a media distancia en el momento en el que los dos porteros se encuentran aproximadamente a mitad del recorrido de las barras.

8

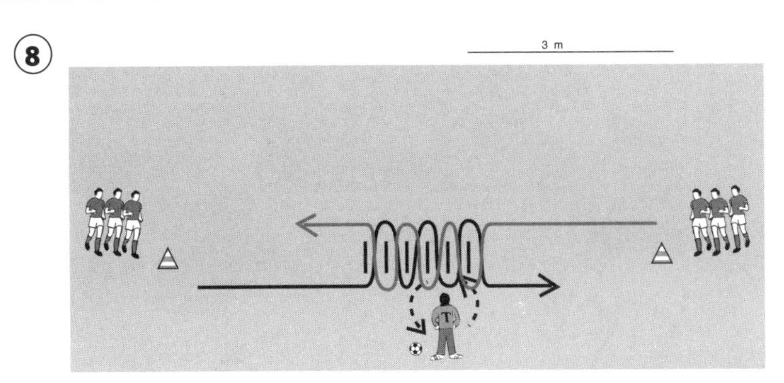

Ejercicio 9:
Como en el ejercicio anterior, pero ahora el entrenador lanza el balón a media altura a los dos porteros en varias ocasiones.

Ejercicio 10:
Como en los ejercicios anteriores, pero ahora el entrenador lanza el balón por alto.

taxofit

B) LA TÁCTICA

El concepto «táctica» integra todas las medidas organizadas dirigidas a lograr las metas que el fútbol plantea. La idea fundamental del fútbol consiste en los dos objetivos siguientes: marcar goles en la puerta contraria y evitar encajarlos en la propia. Consecuentemente existen medidas tácticas orientadas al ataque y a la defensa. Unas y otras se pueden subdividir en los siguientes ámbitos:

- Medidas tácticas individuales - Táctica individual
- Medidas tácticas con dos o más jugadores - Táctica de grupo
- Medidas tácticas de todo el conjunto - Táctica de equipo

Táctica individual
Las medidas tácticas individuales contienen todas las acciones conscientes y planificadas tanto para el ataque como para la defensa del jugador individual en el contexto de situaciones de juego típicas. En contradicción con las técnicas futbolísticas, la táctica describe a través del proceso exacto del movimiento los distintos principios que deben tenerse en cuenta en la aplicación de las técnicas.

Táctica de grupo
Las medidas tácticas de grupo contienen todas las acciones tanto para el ataque como para la defensa del jugador individual, que se ven apoyadas por otros jugadores de ataque o defensa. Las facultades y habilidades de táctica individual constituyen la condición necesaria para poder aplicar una táctica en grupo.

Táctica de equipo
El concepto de táctica de equipo equivale a la planificación táctica de un equipo, con cuyas medidas de táctica individual o de grupo se preparan ocasiones de gol o, por el contrario, se evitan o defienden las del contrario.

Las acciones tácticas ofensivas y defensivas se influyen mutuamente. Por ello, aunque en principio se explican teóricamente las tácticas ofensivas y defensivas por separado, a continuación se ofrecen ejercicios en los que se entrenan los dos ámbitos de manera conjunta.

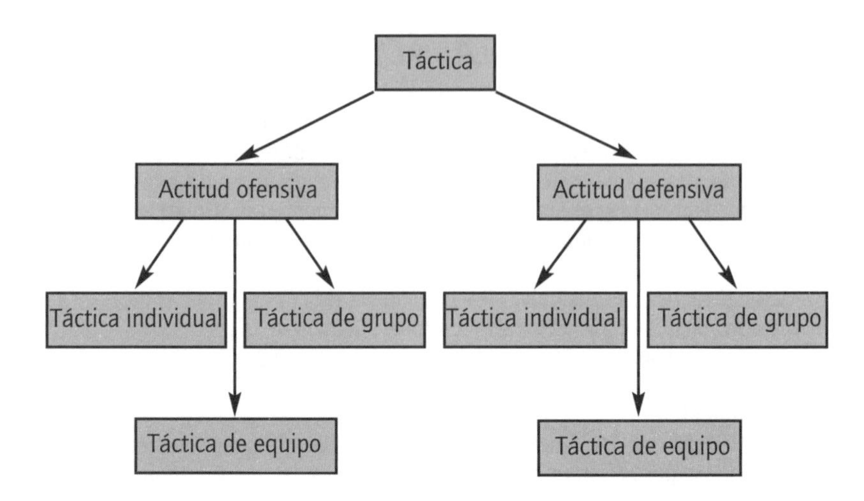
Táctica
Actitud ofensiva
Actitud defensiva
Táctica individual
Táctica de grupo
Táctica individual
Táctica de grupo
Táctica de equipo
Táctica de equipo

taxofit

1. La táctica de ataque

Todos los movimientos con o sin balón del jugador individual se consideran medidas tácticas individuales dirigidas al juego de ataque. Dentro de las mismas podemos hablar del regate, el pase, el disparo a puerta, el remate de cabeza y el desmarque para poder recibir el balón. Del mismo modo se incluyen las técnicas particulares del portero, que sirven para la construcción de una jugada de ataque, es decir, para la preparación de una ocasión de gol. El capítulo anterior se ha ocupado de la descripción precisa de los movimientos específicos de estas medidas tácticas ofensivas. A continuación se describen de manera más exacta las posibilidades de aplicación y se explican los principios de esta aplicación.

Medidas tácticas individuales

Regate, pase, disparo a puerta, control del balón, remate de cabeza, desmarque

Técnicas del portero

Objetivo del juego: preparar ocasiones de gol

En el caso de las medidas tácticas ofensivas de grupo estamos ante la suma de capacidades y habilidades de táctica individual. En este caso, varios jugadores aplican al mismo tiempo sus capacidades y habilidades individuales para, de acuerdo con la idea del juego, lograr marcar goles. El dominio de las medidas tácticas individuales es la condición indispensable para la actuación táctica en grupo. Mediante la combinación de distintas técnicas individuales del regate, del pase y del desmarque se forma un juego de conjunto fluido, que sirve al objetivo de la elaboración de ocasiones de gol.

Medidas tácticas de grupo

Distribución del espacio/cambio de posición/ combinación estándar (por ejemplo, carrera de acompañamiento, cruces, juego de doble pase o pared)

Objetivo del juego: marcar goles

En el caso de las medidas tácticas de equipo se trata de la suma de capacidades y habilidades tácticas individuales y de grupo para la preparación de ocasiones de gol.

Medidas tácticas de equipo

Ataque frontal — Contraataque — Ataque por las bandas — Cambios de juego

Variedad — Juego contra el reloj — Situaciones estándar

Objetivo del juego: marcar goles

2. La táctica de defensa

Todos los movimientos con o sin balón del jugador individual se consideran medidas tácticas individuales dirigidas al juego de defensa. Dentro de las mismas podemos hablar de la defensa frente al regate del contrario, el juego posicional para impedir las combinaciones de juego del contrario, la utilización de fintas defensivas y la aplicación de distintas técnicas del tackling. Del mismo modo se incluyen las técnicas particulares del portero, que sirven para la defensa (definitiva) de una jugada de ataque del contrario.

Medidas tácticas individuales	
Defensa frente al regate	Impedir las combinaciones del contrario
Objetivo del juego: impedir ocasiones de gol	

En el caso de las medidas tácticas defensivas de grupo estamos ante la suma de capacidades y habilidades de táctica individual. En este caso, varios jugadores aplican al mismo tiempo sus capacidades y habilidades individuales para, de acuerdo con la idea del juego, impedir los goles del contrario. El dominio de las medidas tácticas individuales es la condición indispensable para la actuación táctica en grupo.

Medidas tácticas de grupo		
Relevos	Cambios de posición	Cambios de ritmo
Objetivo del juego: no encajar goles		

En el caso de medidas tácticas de equipo se trata de la suma de capacidades y habilidades tácticas individuales y de grupo para evitar la consecución de ocasiones de gol del contrario.

Medidas tácticas de equipo	
Sistemas de marcaje	Presión sobre el ataque y la defensa
Repliegue	Trampa del fuera de juego
Situaciones estándar	
Objetivo del juego: no encajar goles	

Formas de entrenamiento de la táctica de ataque y de defensa

a) Uno contra uno con porterías cruzadas

Equipamiento:

Doce conos, un balón por cada pareja de jugadores.

Preparación:

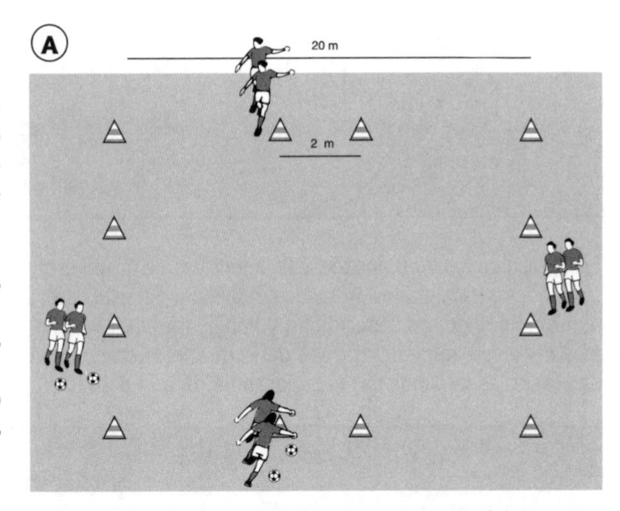

Con cuatro conos se señaliza un campo de juego rectangular, de 20 metros de longitud. En cada lado se coloca una portería de 2 metros de ancho formada con dos conos. Los jugadores se colocan en grupos del mismo número junto a las porterías, fuera del campo de juego.

Desarrollo:

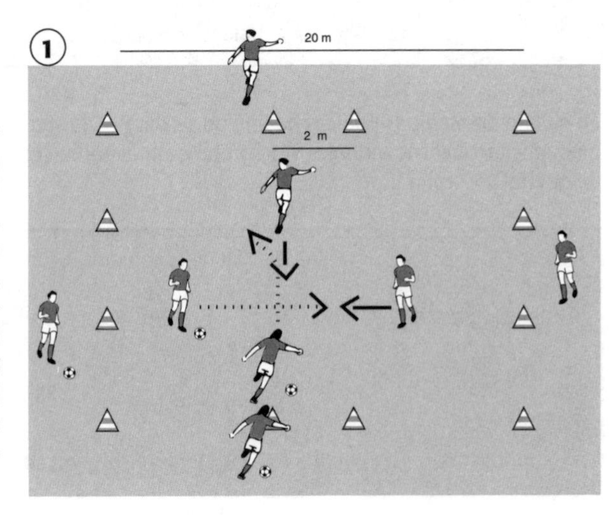

Ejercicio 1:
Los primeros jugadores situados en cada portería entran en el terreno de juego, disponiendo cada pareja de un balón. Después de una señal (acústica/visual) del entrenador, los jugadores inician el uno contra uno en dirección a la portería contraria.

El jugador que lleva el balón es el atacante. Si el contrario logra arrebatarle el balón, puede marcar gol en su portería. El juego se mantiene hasta que el balón entra en la portería, sale fuera o el entrenador para el mismo (tiempo máximo de juego 30 segundos). A continuación inician las siguientes parejas el uno contra uno en el campo de juego.

Ejercicio 2:
Como en el ejercicio anterior, pero ahora una de las parejas juega a pasarse el balón y la otra a lanzárselo con la mano. A la señal (acústica/visual) del entrenador, las dos parejas inician un nuevo uno contra uno. Las dos parejas se sitúan en cruz.

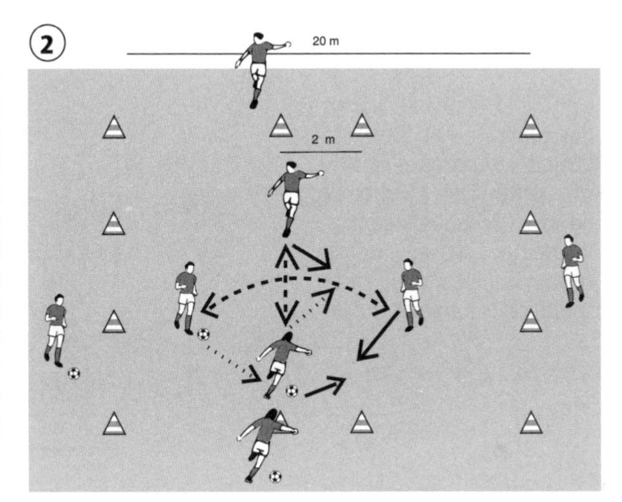

Ejercicio 3:
Como en el ejercicio 1, pero ahora las dos parejas se pasan el balón al mismo tiempo, poniendo atención en que ambos balones no choquen entre sí. A la señal (acústica/visual) del entrenador, las dos parejas inician un nuevo uno contra uno. Las dos parejas se sitúan en cruz.

Ejercicio 4:
Como en el ejercicio 1, pero ahora cada pareja de jugadores utiliza dos balones. Cada pareja se pasa uno de los balones mientras lanza el otro con la mano. A la señal (acústica/visual) del entrenador las dos parejas inician un nuevo uno contra uno (elevado nivel de rendimiento). Antes de comenzar el ejercicio se fija quiénes actúan de atacantes y quiénes de defensas, de tal manera que cada pareja deja uno de los balones junto al entrenador cuando éste da la señal. Las dos parejas se sitúan en cruz.

Consejos para el entrenador:

- En el uno contra uno atender también a la otra pareja, para evitar choques.
- En los ejercicios de coordinación los jugadores deben prestar atención a que los balones no choquen entre sí.

b) Carreras «en espejo»

Equipamiento:

Ocho conos, una portería, un balón por jugador.

Preparación:

Con ocho conos se hacen dos cuadrados de 3 metros de lado, separados 3 metros entre sí. A 15 metros de los cuadrados y centrada frente a los mismos se sitúa una portería. En cada cuadrado se coloca un jugador.

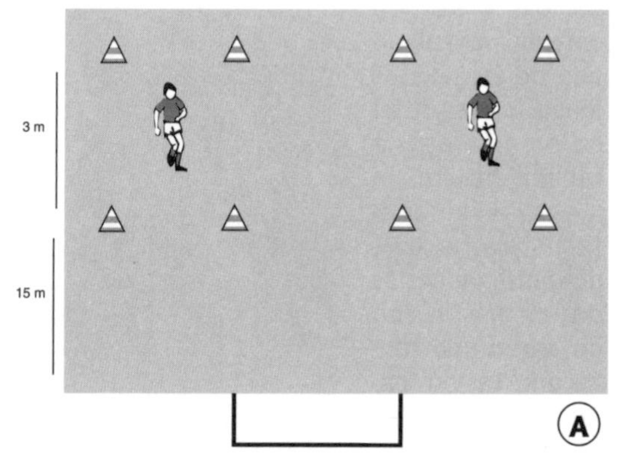

Desarrollo:

Ejercicio 1:
El jugador situado en uno de los cuadrados realiza carreras rectas, laterales y diagonales entre los distintos conos, marcando el recorrido que tiene que hacer el otro jugador en su propio cuadrado (en espejo).

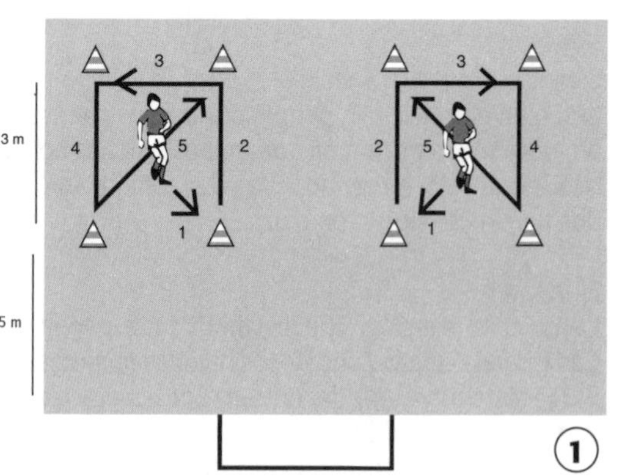

Ejercicio 2:
Como en el ejercicio anterior, pero ahora el jugador que marca el recorrido puede introducir en su carrera ejercicios adicionales (giros, volteretas, saltos).

Ejercicio 3:
Como el ejercicio 1, pero ahora el entrenador da una señal de salida, a la que los jugadores echan a correr hasta el entrenador. El entrenador se sitúa a una distancia de 6 metros en medio de los dos cuadrados formados con los conos.

Ejercicio 4:
Como el ejercicio 1, pero en este caso los jugadores conducen el recorrido utilizando el balón.

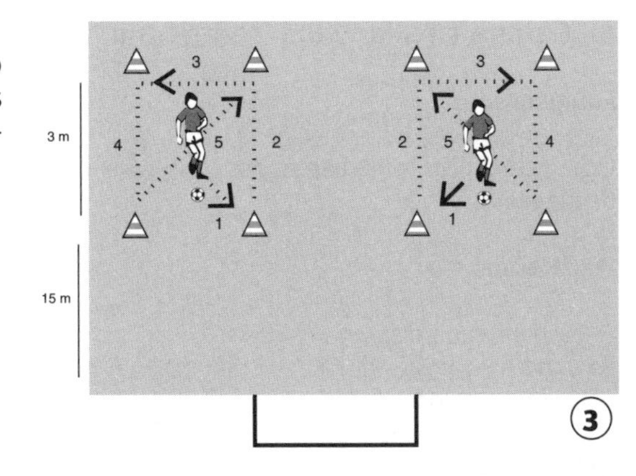

Ejercicio 5:
Como el ejercicio 3, pero en este caso cada jugador tiene un balón. Cuando el entrenador da la señal, los jugadores no salen corriendo en dirección suya sino que disparan a puerta.

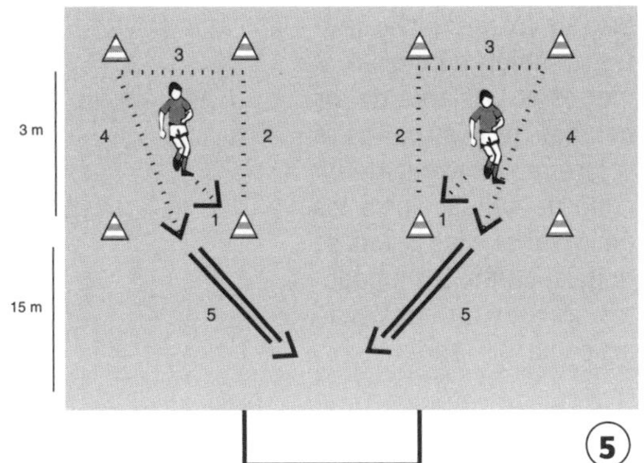

Consejos para el entrenador:

- Los jugadores tienen que orientarse mutuamente mirándose frente a frente en todo momento. De este modo los jugadores se mueven hacia delante, hacia atrás y lateralmente.
- El jugador que marca el recorrido tiene que esperar brevemente siempre en cada uno de los conos, para que el otro jugador le pueda seguir.
- Llevar a cabo los ejercicios como una competición: a ver quién llega primero hasta el entrenador o quién dispara primero a puerta.

c) Carrera circular y uno contra uno

Equipamiento:

Ocho neumáticos, ocho barras, dos conos, una portería, un balón por cada pareja de jugadores.

Preparación:

A 15 metros de distancia de uno de los postes de la portería se colocan ocho neumáticos formando un círculo. A 15 metros del otro se colocan ocho postes, también en círculo. 3 metros por delante de los neumáticos y las barras se coloca respectivamente un cono de salida. Entre los neumáticos y las barras se pone el balón. Los jugadores se colocan detrás de los conos de salida.

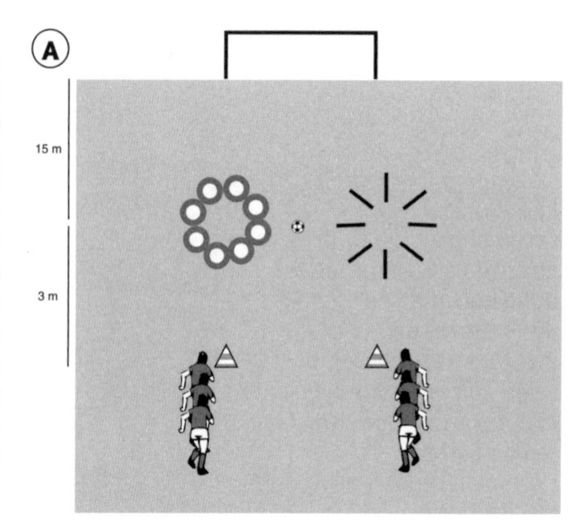

Desarrollo:

Ejercicio 1:
Los jugadores corren respectivamente por el círculo de los neumáticos y el de las barras, teniendo que tocar el suelo con uno de los pies cada vez que saltan entre cada neumático o cada barra. Cuando el entrenador da la señal (acústica/visual) los jugadores echan a correr hacia el balón e intentan marcar gol en el uno contra uno.

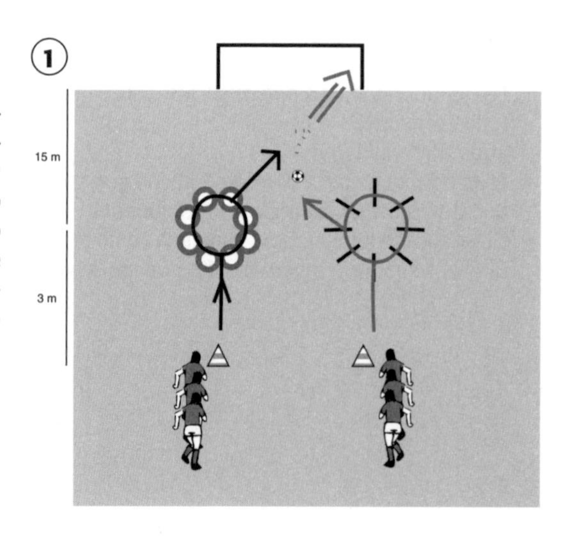

Ejercicio 2:
Como el ejercicio anterior, pero ahora los jugadores cambian su manera de correr cuando el entrenador da la señal (hacia delante, hacia atrás, de lado).

Ejercicio 3:
Como el ejercicio 1, pero ahora el entrenador introduce la orden de «cambio». Cuando el entrenador da esta orden en alto, los jugadores tienen que variar el sentido de su carrera.

Ejercicio 4:
Como el ejercicio 1, pero ahora el entrenador introduce la orden de «lado». Cuando el entrenador da esta orden en alto, los jugadores tienen que cambiar al círculo contrario.

Ejercicio 5:
Como el ejercicio 1, pero ahora el entrenador utiliza todas las órdenes anteriores («hacia delante», «hacia atrás», «de lado», «cambio», «lado»).

d) Uno contra uno y carrera

Equipamiento:

Nueve conos, tres vallas, una portería, un balón por cada pareja de jugadores.

Preparación:

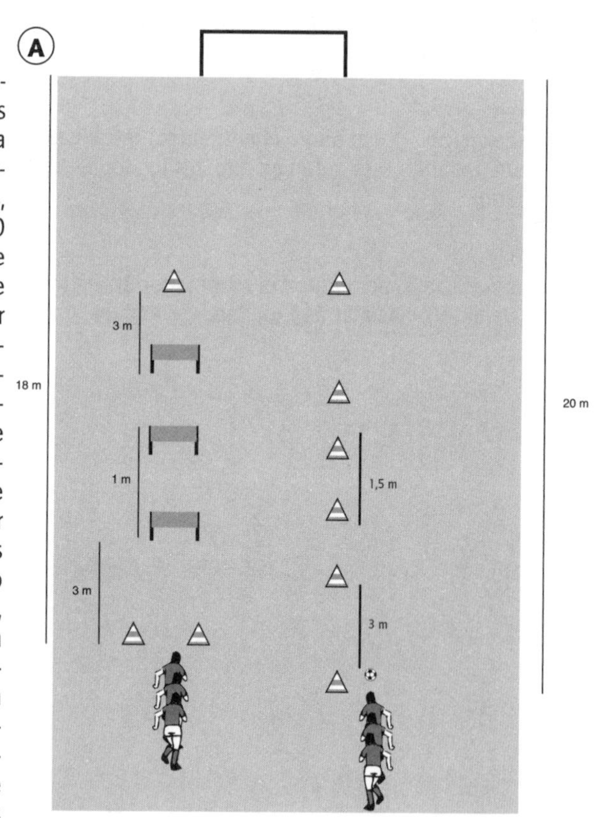

A 18 metros de distancia de uno de los postes de la portería se dispone una portería con dos conos, mientras que a 20 metros de la otra se coloca un cono de salida. 3 metros por delante de la portería de conos se colocan tres vallas, separadas 1 metro entre sí. 3 metros por delante de las vallas se coloca un cono. Por otra parte, 3 metros por delante del cono de salida se coloca, con cuatro conos, un recorrido de eslalon (separando cada cono a metro y medio). 3 metros por delante del recorrido se pone otro cono. Los jugadores se colocan en grupos del mismo número delante de la portería de conos y del cono de salida, disponiendo de un balón los jugadores situados junto a este último.

Desarrollo:

Ejercicio 1:
A la señal (acústica/visual) del entrenador, los dos jugadores inician el ejercicio simultáneamente. El jugador que está delante de la portería de conos la recorre ha-

ciendo la forma de un ocho, corre sobre las tres vallas y, una vez superado el último cono, se coloca como defensa. El jugador situado en el cono de salida corre conduciendo en zigzag por los conos e intenta, tras rebasar el último cono, marcar un gol en el uno contra uno que juega con el defensa.

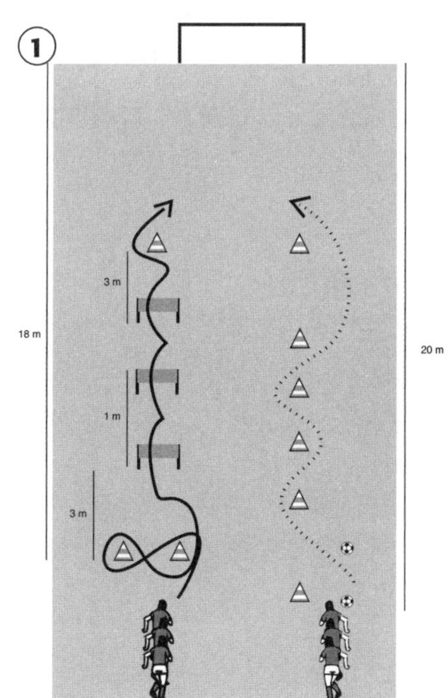

Ejercicio 2:
Como el ejercicio anterior, pero ahora los jugadores se lanzan el balón con la mano. El jugador que tiene el balón en el momento de la orden del entrenador, lo deja caer al suelo y se lo lleva durante la conducción por los conos. El otro jugador corre como defensa por el otro recorrido.

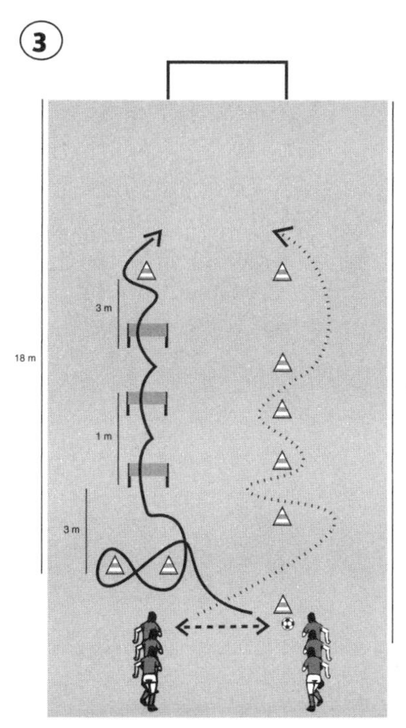

Ejercicio 3:
Como el ejercicio anterior, pero ahora los jugadores se pasan el balón con los pies.

Ejercicio 4:
Como el ejercicio 2, pero ahora los jugadores se envían el balón de cabeza (elevado nivel de rendimiento).

Consejos para el entrenador:

- Si es capaz de robar el balón, el defensa también puede tirar a puerta. El juego puede alargarse hasta que el balón entre por la portería o salga fuera, o también se puede fijar con antelación que cada jugador sólo dispone de una acción de ataque (aumento de la presión por la exactitud/precisión).

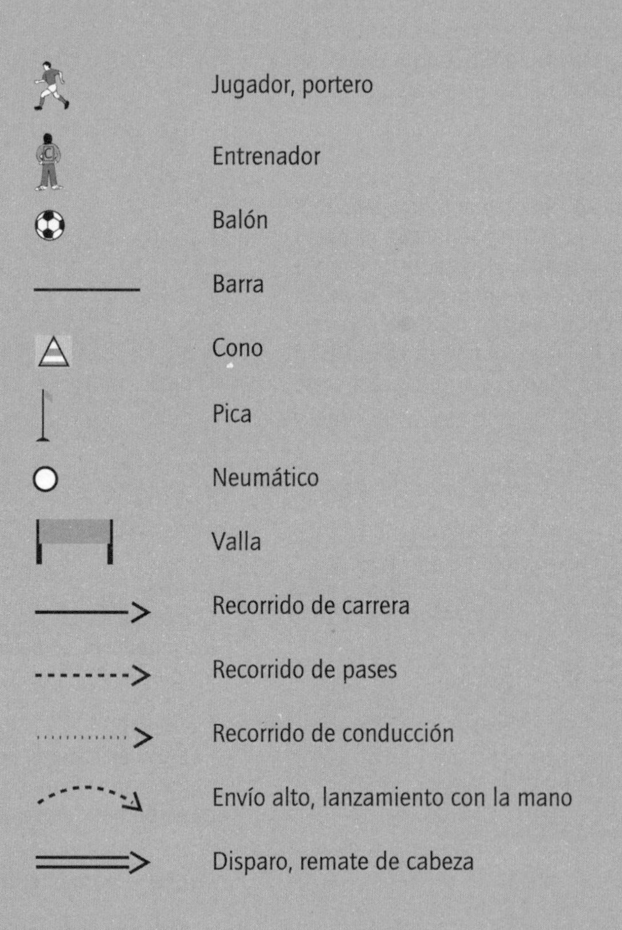
Clave de los diagramas
Jugador, portero
Entrenador
Balón
Barra
Cono
Pica
Neumático
Valla
Recorrido de carrera
Recorrido de pases
Recorrido de conducción
Envío alto, lanzamiento con la mano
Disparo, remate de cabeza